MANUAL de PERSUASÃO do FBI

TOP SECRET

Universo dos Livros Editora Ltda.
Avenida Ordem e Progresso, 157 — 8º andar — Conj. 803
CEP 01141-030 — Barra Funda — São Paulo/SP
Telefone: (11) 3392-3336
www.universodoslivros.com.br
e-mail: editor@universodoslivros.com.br

JACK SCHAFER, Ph.D.
com MARVIN KARLINS, Ph.D.

MANUAL de PERSUASÃO do FBI

TOP SECRET

São Paulo
2025

The like switch
Copyright © 2015 by John Schafer, Ph.D. and Marvin Karlins, Ph.D. All Rights Reserved.

Copyright © 2015 by Universo dos Livros
Todos os direitos reservados e protegidos pela Lei 9.610 de 19/02/1998.
Nenhuma parte deste livro, sem autorização prévia por escrito da editora, poderá ser reproduzida ou transmitida sejam quais forem os meios empregados: eletrônicos, mecânicos, fotográficos, gravação ou quaisquer outros.

Diretor editorial: **Luis Matos**
Editora-chefe: **Marcia Batista**
Assistentes editoriais: **Aline Graça, Letícia Nakamura e Rodolfo Santana**
Tradução: **Felipe C. F. Vieira**
Preparação: **Jonathan Busato**
Revisão: **Raquel Siqueira e Rinaldo Milesi**
Arte: **Francine C. Silva e Valdinei Gomes**
Capa: **Zuleika Iamashita**
Imagens de miolo: **Dave Mills Photography, Lancaster, Califórnia**

Dados Internacionais de Catalogação na Publicação (CIP)
Angélica Ilacqua CRB-8/7057

S321d

    Schafer, Jack
    Manual de persuasão do FBI/Jack Schafer, Marvin Karlins ; tradução de Felipe C. F. Vieira. – São Paulo : Universo dos Livros, 2015.
    256 p.

    Bibliografia
    ISBN: 978-85-7930-851-2
    Título original: *The Like Switch*

    1. Influência (Psicologia) 2. Marketing pessoal 3. Relações humanas 4. Atração interpessoal 5. Comunicação I. Título II. Karlins, Marvin III. Vieira, Felice C. F

15-0299   CDD 158.25

Para minha esposa, uma mulher cheia de amor, caráter e, acima de tudo, paciência para aguentar tudo que aprontei nos trinta anos de nosso casamento.
JACK SCHAFER

Para minha esposa, Edith, e minha filha, Amber: pelas pessoas que vocês são, por aquilo que conquistaram, por seu amor que enriqueceu muitas vidas.
MARVIN KARLINS

SUMÁRIO

O Botão Curtir: como conquistar as pessoas ... 9
1. A fórmula da amizade ... 15
2. Ser notado antes de dizer qualquer palavra ... 35
3. A regra de ouro da amizade ... 82
4. As leis da atração ... 102
5. Falando a língua da amizade ... 124
6. Construindo proximidade ... 161
7. Nutrir e sustentar relações de longo prazo ... 186
8. Os perigos e promessas das relações no mundo digital ... 210
Epílogo: a fórmula da amizade na prática ... 236
Apêndice ... 246
Agradecimentos ... 248
Referências bibliográficas ... 250

O BOTÃO CURTIR

Como conquistar as pessoas

Quando você ouve "FBI", provavelmente não pensa em Bureau de Investigação Amigável (Friendly Bureau of Investigation). Mas os meus vinte anos como agente especializado em análise de comportamento incrementaram minha habilidade de ler rapidamente as pessoas e me deram um entendimento único da natureza humana e seu comportamento. E meu trabalho, que envolvia desde convencer alguém a espionar o próprio país até identificar criminosos e conseguir uma confissão, permitiu que eu desenvolvesse muitos métodos incrivelmente poderosos para fazer as pessoas confiarem em mim, muitas vezes sem precisar dizer qualquer palavra. Em meu posto de analista de comportamento para o Programa de Análise Comportamental do FBI, desenvolvi estratégias para recrutar espiões e transformar inimigos em amigos. Em outras palavras, desenvolvi habilidades e técnicas específicas que poderiam transformar um inimigo dos Estados Unidos em amigo disposto a se tornar um espião para a América.

Minha profissão poderia ser resumida a fazer as pessoas gostarem de mim. Meu trabalho com "Vladimir" ilustra bem esse ponto (mudei os nomes e características daqueles que citarei, e criei alguns modelos genéricos para ilustrar o que meu trabalho me revelou).

Vladimir havia entrado ilegalmente nos EUA para espionar. Fora apanhado com documentos secretos da defesa. Como agente especial do FBI, fui indicado para interrogar Vladimir. Em nosso primeiro encontro, ele jurou nunca falar comigo sob qualquer circunstância. Então comecei o processo de combater sua rebeldia simplesmente sentando em frente a ele e lendo o jornal. Em intervalos cuidadosamente planejados, eu deliberadamente dobrava o jornal e saía sem dizer nenhuma palavra. Dia após dia e semana após semana eu me sentava diante dele e lia o jornal enquanto Vladimir permanecia mudo, algemado à mesa.

Finalmente, ele perguntou por que eu continuava aparecendo diariamente para vê-lo. Dobrei o jornal, olhei para ele e disse: "Porque quero conversar com você". Imediatamente recostei na cadeira e voltei para o jornal, ignorando Vladimir. Após um tempo, levantei-me e fui embora sem dizer mais nada.

No dia seguinte, Vladimir perguntou outra vez por que eu aparecia todos os dias e lia o jornal. Voltei a dizer que fazia isso porque queria conversar com ele. Então sentei e abri o jornal. Alguns minutos depois, Vladimir disse: "Quero falar". Baixei o jornal e disse: "Vladimir, você tem certeza que quer conversar? Quando nos encontramos pela primeira vez, você disse que nunca falaria comigo". Vladimir respondeu: "Quero conversar com você, mas não sobre espionagem". Concordei com a condição, mas acrescentei: "Você me avisará quando estiver pronto para falar sobre suas atividades como espião, não é?". Vladimir concordou.

Nos meses seguintes, conversamos sobre tudo, exceto espionagem. Então, certo dia, Vladimir anunciou: "Estou pronto para falar sobre o que eu fiz". Foi então que finalmente conversamos detalhadamente sobre suas atividades. Vladimir falou livre e honestamente não porque foi forçado a isso, mas porque gostava de mim e me considerava um amigo.

As técnicas de interrogatório que usei com Vladimir podem, à primeira vista, fazer pouco sentido... Mas tudo que fiz foi cuidadosamente orquestrado para alcançar a eventual confissão e a cooperação do espião. Neste livro, revelarei os segredos de como conquistei Vladimir e como, usando as mesmas técnicas, é possível fazer qualquer pessoa gostar de você por um momento ou pela vida inteira. Posso fazer isso porque as habilidades sociais que desenvolvi para conquistar e recrutar espiões são igualmente eficazes para desenvolver amizades bem-sucedidas em casa, no trabalho ou em qualquer outro lugar onde haja interações pessoais.

A princípio, eu não enxergava a relação entre meu trabalho e a vida no dia a dia. Na verdade, fui perceber apenas no final de minha carreira no FBI. Na época, eu dava aulas para jovens oficiais da Inteligência sobre como recrutar espiões. No primeiro dia de uma nova turma, cheguei meia hora mais cedo para arrumar a classe para um trabalho em grupo. Para minha surpresa, dois estudantes já estavam lá. Não os reconheci. Eles estavam sentados na primeira fila em silêncio, com as mãos sobre as carteiras e rostos cheios de expectativa. Considerando a hora do dia e o fato de que a maioria dos estudantes nunca chegava cedo, fiquei imaginando o que se passava. Perguntei quem eram e por que decidiram chegar tão cedo.

— Você se lembra do Tim, da sua turma passada? — um deles perguntou.

— Sim — eu disse.

— Algumas semanas atrás nós fomos num bar com o Tim. Ele falou da sua aula sobre influência e construção de conexões.

— E...? — Eu ainda não estava entendendo aonde isso chegaria.

— Tim se gabou de ter aprendido como conquistar as mulheres na sua aula.

— Obviamente estávamos céticos — disse o segundo estudante.

— Então nós o testamos — o outro continuou. — Escolhemos uma mulher aleatória e desafiamos Tim a convencê-la a se juntar a nós e tomar um drinque, sem dizer uma palavra.

— E o que ele fez? — perguntei.

— Ele aceitou nosso desafio — o estudante exclamou. — Pensamos que estava louco. Mas então, depois de uns quarenta e cinco minutos, a mulher se aproximou de nossa mesa e perguntou se poderia tomar um drinque conosco. Achamos difícil de acreditar, mas vimos acontecer.

Joguei um olhar debochado para os estudantes.

— Vocês sabem como ele fez isso?

— Não! — um deles exclamou. E então, em coro, eles disseram: — É isso que viemos aprender aqui!

Minha primeira reação foi ponderar o profissionalismo esperado de mim, e então disse que o propósito do curso era ensinar aos estudantes como se tornarem oficiais de Inteligência eficazes e não conquistadores baratos. Mas foi minha segunda reação que me surpreendeu e me atingiu como uma epifania. Pensando sobre o que Tim fez, eu repentinamente percebi que as mesmas técnicas usadas para recrutar espiões poderiam ser usadas para alcançar o sucesso na chamada arte da conquista. Ainda mais importante, num sentido mais amplo, essas técnicas poderiam ser usadas sempre que uma pessoa quisesse ganhar confiança de alguém, em praticamente qualquer interação. Foi essa descoberta que serviu como base para este livro e para todas as informações aqui contidas.

Após me aposentar do FBI, fiz doutorado em Psicologia e me tornei professor universitário. Foi durante essa fase que juntei minhas estratégias para ajudar pessoas a conquistar relações interpessoais bem-sucedidas em casa, no trabalho ou em qualquer outro lugar que envolva interações entre pessoas. Por exemplo:

- Vendedores novatos podem usar as técnicas apresentadas neste livro para estabelecer uma clientela.
- Vendedores experientes também podem se beneficiar aprendendo como manter ou incrementar relações existentes, assim como atrair novos clientes.
- Todos os tipos de funcionários de qualquer nível, desde gerentes de empresas em Wall Street até garçons em restaurantes, podem usar táticas para interagir melhor com seus supervisores, colegas, subordinados e clientes.
- Os pais podem usar as estratégias para reparar, estreitar e reforçar as relações com seus filhos.
- Consumidores podem usar as informações para conseguir melhores serviços, acordos e atenção personalizada.
- E, é claro, pessoas buscando amizades ou relações amorosas podem usar suas habilidades nessa experiência de natureza tão difícil (e que se tornou ainda mais desafiadora em nossa sociedade digital).

Este é um livro para qualquer pessoa que busca novas amizades, que quer manter ou melhorar relacionamentos existentes, que procura deixar encontros breves mais agradáveis, ou que busca conquistar melhores gorjetas ou aumentos.

CONQUISTANDO O DESAFIO DA AMIZADE

Seres humanos são animais sociais. Como espécie, somos programados para buscar outros semelhantes. Esse desejo está arraigado em nossa origem primitiva, quando a união melhorava nossas chances de subir na cadeia alimentar ao sair de nossa caverna e lutar pela sobrevivência num mundo hostil e implacável. Portanto, poderíamos assumir que fazer amizades seria algo fácil, até mesmo automático para nós. Infelizmente, não é assim. Após várias pesquisas e estudos, um número crescente de pessoas afirma sentir isolamento e incapacidade de desenvolver relações duradouras simples, muito menos as significativas. Esse problema piorou com a introdução das mídias sociais, que nos distancia ainda mais da interação social cara a cara.

Lidar com pessoas, particularmente com indivíduos que você não conhece, pode ser uma experiência desafiadora e até mesmo assustadora. Seja você homem ou mulher, não importa. O medo está lá: medo do constrangimento, da rejeição, medo de ofender, de causar má impressão e até mesmo de ser usado ou explorado. A boa notícia é que os relacionamentos não precisam ser um convite ao desastre. Se você tem dificuldade em fazer amizades ou apenas quer melhorar aquelas que já possui, não se sinta mal. Você não está sozinho e a situação não é desesperadora. Este livro foi feito para aliviar suas preocupações sobre interagir com outros no trabalho, com estranhos ou com pessoas amadas.

As técnicas apresentadas aqui lhe darão a melhor chance possível, ancoradas nas últimas evidências científicas, para fazer as pessoas gostarem de você sem que precise dizer uma palavra. É claro, eventualmente você precisará falar com as pessoas. Palavras exprimem as sensações iniciais de boa vontade em amizades e, em alguns casos, relações para a vida inteira. Este livro apresenta tanto as dicas não verbais como os comandos verbais que podem fazer qualquer um gostar de você instantaneamente.

Relações pessoais gratificantes estão ao seu alcance. Não é questão de sorte ou achismos. É resultado do uso de conhecimento científico comprovado e de técnicas sobre como lidar com outros indivíduos. A oportunidade de fazer amigos está a apenas três passos de distância:

1. *Você deve estar disposto a aprender e a dominar as técnicas presentes neste livro.* As técnicas são semelhantes às ferramentas usadas por trabalhadores numa construção. O segredo é deixá-las fazerem o trabalho. Quando eu era jovem, usava rotineiramente uma serra para cortar madeira. Um dia meu pai me deixou usar sua recém-comprada serra elétrica. Apanhei a serra e comecei a cortar um pedaço de madeira. Apliquei a mesma pressão que eu usava sempre com a outra serra. Meu pai tocou meu ombro e disse para aliviar a pressão e deixar a serra fazer o trabalho. As técnicas neste livro são baseadas num princípio semelhante. Simplesmente aplique as técnicas e relaxe – seja você mesmo e deixe as técnicas fazerem o trabalho. Você ficará surpreso com os resultados.

2. *Você deve realmente usar esse conhecimento ao lidar com as pessoas em sua vida cotidiana.* Saber a melhor maneira de fazer algo é ótimo, mas apenas quando você realmente usa o que aprendeu. *Lembre-se: conhecimento sem ação é conhecimento desperdiçado.*

3. *Você precisa praticar constantemente o que aprendeu.* Habilidades sociais são como qualquer outra habilidade. Quanto mais você as usa, melhor ficam; quanto menos usar, mais rápido você as perde. Se você está disposto a dar esses três passos, descobrirá que fazer amigos se torna tão automático quanto respirar.

A popularidade está ao seu alcance. Para aumentá-la, apenas utilize as informações que aprenderá nas páginas seguintes e observe o seu QS (Quociente de Simpatia) disparar.

1
A FÓRMULA DA AMIZADE

Aprendi que as pessoas se esquecerão daquilo que você disse, esquecerão daquilo que você fez, mas nunca esquecerão da maneira como você as fez sentir.
— Maya Angelou

OPERAÇÃO GAIVOTA

Seu codinome era Gaivota.

Ele era um diplomata estrangeiro de alto escalão.

Poderia ser um recurso valioso, caso se tornasse espião para os Estados Unidos.

O problema: como convencer alguém a jurar aliança a um país adversário? A resposta: fazendo amizade com o Gaivota e apresentando uma oferta tentadora demais para recusar. A chave para essa estratégia envolvia paciência, pesquisa cuidadosa de todas as facetas da vida do Gaivota, e uma maneira de promover a relação com um colega americano em quem ele confiasse.

Uma investigação sobre o Gaivota revelou que sua promoção fora rejeitada várias vezes e alguém o ouvira dizer que ele gostava de viver na América e consideraria se aposentar no país, se isso fosse possível. O Gaivota também temia que a pequena pensão de seu país não fosse suficiente para uma aposentadoria confortável. Armados com esse conhecimento, os analistas de segurança acreditavam que a lealdade do Gaivota a seu país poderia ser subvertida se ele recebesse um incentivo financeiro adequado.

O desafio era chegar perto o bastante para fazer uma oferta financeira sem assustá-lo. Charles, o agente do FBI, recebeu ordem para cultivar lenta e sistematicamente a relação com o Gaivota, como se estivesse deixando um bom vinho envelhecer, para abordá-lo no momento certo com uma oferta. O agente não poderia ser rápido demais ou o diplomata "acionaria os escudos" e poderia passar a evitá-lo completamente. Em vez disso, ele recebeu instruções para orquestrar sua aproximação, usando estratégias comportamentais criadas para estabelecer amizades. O primeiro passo era fazer Gaivota gostar de Charles antes de trocarem qualquer palavra. O segundo era usar os comandos verbais apropriados para traduzir aquela boa vontade numa amizade de longo prazo.

A preparação para o importante primeiro encontro começou muitos meses antes de efetivamente acontecer. A Inteligência havia descoberto que o Gaivota rotineiramente deixava a embaixada uma vez por semana e andava dois quarteirões até o mercado na esquina. Armado com essa informação, Charles recebeu ordens para se posicionar em vários locais no caminho até o mercado. Ele não poderia de jeito nenhum abordar ou ameaçar o diplomata; deveria simplesmente "estar lá" para que ele pudesse vê-lo.

Como um agente de inteligência treinado, não demorou até o Gaivota notar o agente do FBI, que, a propósito, não fez esforço algum para esconder sua identidade. Uma vez que Charles não fez menção alguma de interceptar ou falar com seu alvo, ele não se sentiu ameaçado e se acostumou a ver o americano em suas idas ao mercado.

Após várias semanas juntos na mesma vizinhança, o Gaivota fez contato visual com o agente americano. Charles acenou com a cabeça, reconhecendo sua presença, mas não mostrou interesse além disso.

Mais semanas se passaram e, enquanto isso, Charles incrementava a interação não verbal entre ambos *aumentando o contato visual, elevando as sobrancelhas, inclinando a cabeça* e *erguendo o queixo*, todos códigos não verbais que os cientistas descobriram ser interpretados pelo cérebro como "sinais amistosos".

Dois meses se passaram antes de Charles dar o próximo passo. Ele seguiu o Gaivota até o mercado, mas manteve distância. A cada nova ida ao mercado, Charles continuou entrando também no estabelecimento, ainda mantendo distância, mas aumentando o número de vezes em que cruzava com o diplomata nos corredores e aumentando a duração do contato visual. Notou que o Gaivota levava uma lata de ervilhas a cada compra. Com essa nova informação, Charles esperou mais algumas semanas e então, em certa ocasião, seguiu o Gaivota para dentro do mercado como de costume, mas desta vez com o objetivo de se apresentar. Quando ele foi apanhar a lata de ervilhas, Charles apanhou a lata ao lado, virou e disse: "Olá, meu nome é Charles e sou um agente especial do FBI". O Gaivota sorriu e disse: "Foi o que pensei". A partir desse encontro inócuo, os dois desenvolveram uma amizade próxima. O Gaivota finalmente concordou em ajudar seu novo amigo do FBI passando regularmente informações secretas.

Um observador casual, assistindo à lenta aproximação que durou vários meses, poderia se perguntar por que demorou tanto para o primeiro diálogo acontecer. Não foi por acidente. Na verdade, todo o recrutamento foi uma cuidadosa operação psicológica criada para estabelecer um elo de amizade entre dois homens que, sob circunstâncias normais, nunca contemplariam uma relação assim.

Como membro do Programa de Análise Comportamental do FBI, fui destacado, junto a meus colegas, para orquestrar o cenário de recrutamento do Gaivota. Nosso objetivo era fazer o diplomata se sentir confortável o bastante com nosso agente do FBI para que uma reunião pudesse acontecer e, se tivéssemos sorte, mais reuniões acontecessem, caso Charles conseguisse causar uma boa impressão. Nossa missão era mais difícil que o normal porque o Gaivota era um oficial de Inteligência altamente treinado, que constantemente ficaria em alerta com qualquer pessoa que despertasse suspeita, o que o faria evitar tal pessoa a todo custo.

Para que Charles fosse bem-sucedido no encontro cara a cara, o diplomata precisaria estar psicologicamente confortável com seu colega americano e, para isso acontecer, Charles precisaria dar passos específicos que, no fim das contas, tiveram sucesso. Os passos que Charles precisou seguir para ganhar a confiança do Gaivota são os mesmos que você deve tomar para desenvolver amizades de curto ou longo prazo.

Usando o caso do Gaivota como pano de fundo, vamos examinar os passos que Charles completou para recrutar seu alvo usando a Fórmula da Amizade.

A FÓRMULA DA AMIZADE

A Fórmula da Amizade consiste em quatro blocos básicos: proximidade, frequência, duração e intensidade. Estes quatro elementos podem ser expressos usando a seguinte fórmula matemática:

Amizade = Proximidade + Frequência + Duração + Intensidade

Proximidade é a distância entre você e outro indivíduo e sua exposição a esse indivíduo com o passar do tempo. No caso do Gaivota, Charles não andou simplesmente até o diplomata e se apresentou. Esse comportamento resultaria em Gaivota deixando rapidamente a cena. As condições do caso requeriam uma abordagem mais calculada, que permitisse tempo para ele "acostumar-se" com Charles e não enxergá-lo como ameaça. Para alcançar esse objetivo, o fator da *proximidade* foi empregado. A proximidade serve como um elemento essencial em todas as relações pessoais. Estar presente no mesmo espaço do seu alvo é algo crucial para o desenvolvimento de uma relação pessoal. A proximidade condiciona seu alvo a gostar de você e promove uma atração mútua. Pessoas que compartilham um espaço físico são mais propensas a se tornarem mutuamente atraídas, mesmo quando não há troca de palavras.

A chave para o poder da proximidade é que ela aconteça em ambiente não ameaçador. Se a pessoa se sente ameaçada por alguém que está perto demais, "aciona os escudos" e toma ação evasiva para se afastar. No cenário do Gaivota, Charles estava próximo do alvo, mas manteve distância para não ser percebido como um perigo em potencial, consequentemente acionando a resposta "lutar ou fugir".

Frequência é o número de contatos que você tem com outro indivíduo; duração é a quantidade de tempo que se passa com outro indivíduo. Com o passar do tempo, Charles empregou o segundo e o terceiro fatores de amizade: *frequência* e *duração*. Ele fez isso ao se posicionar na rota do mercado de um jeito que aumentava o número de vezes (frequência) que o diplomata o via. Após vários meses, acrescentou a duração ao passar períodos mais longos próximo dele. Fez isso seguindo seu alvo até o mercado, estendendo assim o tempo de contato entre ambos.

Intensidade é o quão fortemente você é capaz de satisfazer as necessidades psicológicas e/ou físicas de outra pessoa por meio de comportamentos verbais e não verbais. O fator final na Fórmula da Amizade, *intensidade*, foi alcançado gradualmente, enquanto o Gaivota se tornava mais e mais ciente da presença de Charles e sua aparente relutância em abordá-lo. Isso introduziu um tipo de intensidade – *curiosidade* – na mistura. Quando um novo estímulo é introduzido no ambiente de uma pessoa (nesse caso, um estranho entra no mundo do Gaivota), o cérebro é programado para determinar se esse novo estímulo representa uma ameaça. Se ele for julgado como ameaça, a pessoa irá tentar eliminar ou neutralizar isso empregando a resposta de "luta ou fuga". Se, por outro lado, o novo estímulo não é percebido como ameaça, então se torna objeto de curiosidade. A pessoa quer saber mais sobre o estímulo: O que é? Por que está lá? Posso usar isso para meu benefício?

As atividades de Charles foram conduzidas a uma distância segura e, com o passar do tempo, se tornaram objeto da curiosidade do Gaivota. A curiosidade o motivou a descobrir quem Charles era e o que ele queria.

O Gaivota mais tarde disse saber que Charles era agente do FBI desde a primeira vez que o viu. Seja verdade ou não, ele recebeu os sinais não verbais amistosos que o agente estava enviando.

Uma vez que o diplomata determinou que Charles era agente do FBI, sua curiosidade aumentou. Ele certamente sabia que era alvo de recrutamento, mas para qual propósito e por qual preço? Uma vez que já estava infeliz com seu avanço na carreira e próximo da aposentadoria, ele com certeza imaginou diferentes cenários envolvendo Charles, inclusive trabalhar como espião para o FBI.

A decisão de se tornar espião não é feita da noite para o dia. Espiões em potencial precisam de tempo para desenvolver suas próprias justificativas e se acostumar com a ideia de virar a casaca. A estratégia de recrutamento para o Gaivota incluía um período de tempo para que a semente da traição germinasse. Sua imaginação providenciou os nutrientes necessários para a ideia amadurecer e se desenvolver. Esse período de latência também deu tempo para que o Gaivota convencesse sua esposa a se juntar a ele. Enquanto Charles se aproximava fisicamente, o diplomata não o enxergava como uma ameaça iminente, mas como um símbolo de esperança – uma vida melhor nos anos vindouros.

Assim que o Gaivota decidiu ajudar o FBI, precisou esperar que Charles o abordasse. Ele contou mais tarde que a espera foi excruciante. Sua curiosidade chegou ao ápice. "Por que o agente americano não dá sua cartada?". De fato, a segunda coisa que disse a Charles quando ele finalmente se apresentou foi: "Por que demorou tanto?".

FREQUÊNCIA E DURAÇÃO

Duração possui uma qualidade única: quanto mais tempo você passa com uma pessoa, mais influência se tem sobre seus pensamentos e ações. Mentores que passam muito tempo com seus alunos exercem uma influência positiva sobre eles. Pessoas que possuem intenções menos honráveis podem influenciar negativamente aqueles com quem passam seu tempo. O melhor exemplo do poder da duração pode ser visto entre pais e filhos. Quanto mais tempo os pais passam com seus filhos, maior a chance de influenciá-los. Se esse tempo é pequeno, os filhos tendem a passar mais tempo com seus amigos, incluindo, em casos extremos, membros de gangues. Essas pessoas possuem grande influência sobre as crianças porque passam grande parte do tempo com elas.

A *duração* estabelece relação inversa com a *frequência*. Se você frequentemente encontra um amigo, então a duração do encontro será mais curta. Por outro lado, se não encontra seu amigo com frequência, a duração da visita tipicamente aumentará bastante. Por exemplo, se você encontra um amigo todos os dias, a duração das visitas pode ser baixa porque você pode se atualizar com os eventos à medida que eles acontecem. No entanto, se você apenas encontra seu amigo duas vezes ao ano, a duração das visitas será maior. Pense numa ocasião em que você jantou num restaurante com um amigo que não via há muito tempo. Vocês provavelmente passaram várias horas atualizando os eventos de suas vidas. A duração do mesmo jantar seria consideravelmente menor se você encontrasse o amigo com regularidade. Por outro lado, em relações amorosas, frequência e duração são muito altas porque casais, principalmente os recém-formados, querem passar o máximo de tempo juntos. A intensidade da relação também será alta.

AUTOAVALIAÇÃO DA RELAÇÃO

Pense sobre o começo de alguma relação sua, atual ou do passado; você agora deve ser capaz de enxergar que ela se desenvolveu de acordo com os elementos da Fórmula da Amizade. A fórmula também pode ser usada para identificar as partes de uma relação que precisam de melhorias, por exemplo, se um casal sente que seu casamento de vários anos está se deteriorando mas não sabe como consertá-lo. Sua relação pode ser autoavaliada olhando para a interação de cada elemento da Fórmula da Amizade. O primeiro elemento a avaliar é a *proximidade*. O casal compartilha o mesmo espaço ou busca separadamente seus próprios objetivos, ficando raramente no mesmo espaço físico? O segundo elemento é a *frequência*. Eles frequentemente passam tempo juntos? O terceiro elemento é a *duração*. Quanto tempo eles passam juntos quando se encontram? O quarto elemento é a *intensidade*, a cola que mantém as relações inteiras. O casal pode ter proximidade, frequência e duração, mas pouca intensidade. Um exemplo dessa combinação é um casal que passa muito tempo em casa assistindo à televisão juntos, mas não interage com nenhuma emoção. Eles poderiam sair mais à noite para reavivar os sentimentos que possuíam um pelo outro quando se conheceram. Poderiam desligar a televisão por algumas horas toda noite e conversar, intensificando assim a relação.

As combinações dos quatro elementos da Fórmula da Amizade são vastas, dependendo de como os casais interagem. Em muitos casos, um membro da relação viaja a trabalho na maior parte do ano. A falta de proximidade pode afetar negativamente a relação porque isso geralmente leva a uma redução da frequência, duração e intensidade. A falta de proximidade pode ser superada com a tecnologia. Frequência, duração e intensidade podem ser mantidas com a ajuda de e-mails, bate-papos, mídias sociais etc.

Uma vez que você conhece os elementos básicos de todas as relações, será capaz de avaliar seus relacionamentos existentes e nutrir novos, ao regular conscientemente os quatro elementos. Para praticar a autoavaliação, examine as relações que você possui agora mesmo e veja como os quatro elementos básicos as afetam. Se quer fortalecer uma relação, pense em maneiras de regular a Fórmula da Amizade para alcançar o resultado desejado.

Você também pode se retirar de relações indesejadas ao lentamente diminuir cada um dos elementos básicos da Fórmula da Amizade. Essa diminuição gradual irá afastar a pessoa indesejada sem ferir seus sentimentos e sem parecer uma ruptura abrupta na relação. Na maioria dos casos, a pessoa indesejada irá naturalmente chegar à conclusão de que a relação não é mais viável e irá procurar novas interações, mais gratificantes.

RECRUTANDO ESPIÕES USANDO UM PARCEIRO SILENCIOSO

Imagine que você é um cientista com autorização para assuntos secretos trabalhando como contratado para o Departamento de Defesa. Certo dia, aparentemente do nada, você recebe um telefonema de um oficial do governo da embaixada chinesa. Ele o convida para visitar a China para que dê uma palestra sobre alguma pesquisa não secreta. Todos os custos serão pagos pelo governo chinês. Você informa seu superior sobre o convite, e ele responde, autorizando a palestra na China, desde que não discuta informações secretas. Você liga para confirmar sua participação e o oficial chinês o convida a viajar uma semana antes para desfrutar o país como turista. Você concorda e fica muito animado, pois é uma oportunidade única na vida.

Um representante do governo chinês o recebe no aeroporto, informando que será seu guia e intérprete por toda a viagem. A cada manhã ele encontra você no hotel e tomam café da manhã. Você passa o dia todo passeando. O intérprete paga todas as suas refeições e arranja atividades sociais para a noite. Ele é amigável e compartilha informações sobre sua família e vida social. Você retribui compartilhando informações sobre sua família, nada importante, apenas nomes da esposa e filhos, datas de aniversários, seu aniversário de casamento e os feriados religiosos que você e sua família celebram. Com o passar dos dias, você fica surpreso por possuir tantas coisas em comum com seu intérprete, apesar das grandes diferenças culturais.

O dia da palestra chega. O anfiteatro está lotado. Sua palestra é bem recebida. No final, um dos participantes se aproxima e diz que está muito interessado em sua pesquisa. Diz que ela é fascinante e inovadora e faz uma pergunta relacionada ao trabalho secreto que você vem desenvolvendo e que possui relação com a sua pesquisa. A resposta depende de uma informação sensível, mas não secreta. Você fica contente em poder dar a informação junto a uma longa explicação, mesmo que precise tangenciar informações delicadas.

Enquanto espera para embarcar no avião de volta para os Estados Unidos, seu intérprete informa que sua palestra foi um tremendo sucesso e que o governo chinês gostaria de convidá-lo novamente no ano seguinte. Já que o pequeno anfiteatro ficou lotado, você será recebido num salão maior no ano seguinte. (O chinês ofereceu uma oportunidade para o cientista se sentir orgulhoso, que é a forma mais poderosa de elogio. Essa técnica de abordagem será discutida mais tarde.) Ah, e a propósito, sua esposa já está convidada para acompanhá-lo, com todas as despesas pagas.

Como agente de Contrainteligência do FBI, fui destacado várias vezes para interrogar cientistas que viajavam para fora do país para apontar se eles tinham sido abordados por oficiais de Inteligência estrangeiros em busca de informações secretas. Entrevistei muitos cientistas que descreveram histórias semelhantes a essa. Todos relataram que os chineses foram anfitriões impecáveis e nunca perguntaram nada sobre informações secretas. Não houve nenhum incidente desagradável. Fim de papo.

Mas o que me incomodava eram os comentários dos cientistas de que possuíam tanto em comum com seus intérpretes. Por causa das diferenças culturais, isso aguçou minha curiosidade. Eu sabia que estabelecer "coisas em comum" era o jeito mais rápido de criar uma conexão. (Essa técnica será discutida no Capítulo 2.)

Então, usei a Fórmula da Amizade para aprofundar a avaliação das visitas dos cientistas. Certamente a proximidade era um item relevante. A frequência era baixa, pois os cientistas visitavam a China apenas uma vez por ano. Se a frequência é baixa, então a duração precisa ser alta para se desenvolver uma relação pessoal. A duração era alta. O mesmo intérprete encontrava os cientistas logo pela manhã, todos os dias, e passava o dia e a noite toda com eles. Baseado nos assuntos das conversas, constatei que a intensidade também era alta. E então a ficha finalmente caiu. Os cientistas estavam sendo recrutados mas não sabiam disso – e, até aquele ponto, eu também não.

Os cientistas e, por um tempo, eu também, não enxergamos os esforços de recrutamento. Os chineses, cientes ou não, usaram a Fórmula da Amizade, que descreve a maneira como as pessoas naturalmente desenvolvem amizades. Por ser um processo natural, o cérebro não percebe essa sutil técnica de recrutamento. Desse ponto em diante, entrevistei os cientistas usando a fórmula para determinar se alguma tentativa de recrutamento acontecera. Pedi especialmente que descrevessem a proximidade, a frequência, a duração e a intensidade da interação com qualquer pessoa que encontraram durante a visita. Também os instruí, antes de irem para a China, a terem cuidado com as técnicas sutis que os chineses estavam usando para conhecer nossos segredos.

A FÓRMULA DA AMIZADE E VOCÊ

Pelo resto deste livro, a Fórmula da Amizade será usada como alicerce para construção de amizades. Independentemente do tipo de amizade que você deseje (curta, longa, relaxada ou intensa), ela será sempre influenciada por *proximidade, frequência, duração* e *intensidade*. Pense nessa fórmula como a fundação de concreto sobre a qual uma casa é construída. A casa pode ter diferentes formas, assim como as amizades, mas a fundação é basicamente sempre a mesma.

APLICANDO A FÓRMULA DA AMIZADE NO DIA A DIA

Encontrei Phillip, filho de um amigo próximo, num café local. Phillip havia se formado recentemente numa faculdade de cidade pequena e conquistado seu primeiro emprego em Los Angeles. Ele era solteiro e queria fazer novos amigos. Havia vivido sua vida inteira em cidades pequenas e de repente se mudou para uma cidade grande, onde fazer amigos parecia uma tarefa assustadora.

Aconselhei-o a frequentar rotineiramente um bar perto de seu apartamento e exibir sinais amistosos, assim que entrasse, para enviar a mensagem de que ele não era uma ameaça (sinais amistosos serão descritos no próximo capítulo), sentando-se depois sozinho no balcão ou numa mesa.

Suas visitas diárias ao bar permitiriam que a proximidade acontecesse, e suas constantes aparições fariam a frequência e a duração se estabelecerem. Com cada visita, ele poderia gradualmente aumentar a intensidade, o componente final da Fórmula da Amizade, olhando para outros clientes por um pouco mais de tempo e sorrindo. Phillip precisava de um gancho de curiosidade para atrair as pessoas. Ele me disse que era colecionador de bolinhas de gude antigas. Eu o instruí a levar uma lupa e um saco de bolinhas de gude sempre que visitasse o bar, colocasse as bolinhas sobre a mesa e cuidadosamente examinasse cada uma com a lupa. Essa atividade serviria como gancho para a curiosidade. Também orientei que fizesse amizade com os garçons, pois eles se tornariam seus embaixadores perante os membros da comunidade. Por terem contato direto com Phillip, outros clientes naturalmente perguntariam quem era aquela nova pessoa. Quando fizessem isso, os garçons diriam coisas boas, que formariam um filtro através do qual os clientes o enxergariam. (Esses filtros serão discutidos no próximo capítulo.)

Várias semanas depois, Phillip me ligou e disse que eu estava certo. Na primeira vez que visitou o bar, pediu uma bebida, soltou as bolinhas sobre a mesa e as examinou uma a uma com uma lupa. Alguns minutos depois de o garçom entregar a bebida, ele perguntou sobre sua atividade incomum. Phillip contou sobre sua coleção e mostrou as diferenças de tamanho, cor e textura de cada bolinha. Após várias visitas ao bar, Phillip e o garçom se tornaram mais familiarizados um com o outro.

O garçom gostou de Phillip e o apresentou a várias pessoas que obviamente pareciam interessadas em seu hobby. As bolinhas serviram como iniciadoras de conversas e facilitaram a transição para outros assuntos.

A Fórmula da Amizade parece mágica, mas não é. Ela apenas espelha a maneira como as pessoas normalmente estabelecem relações. Saber os elementos básicos facilita construir amizades.

COMO VLADIMIR FOI INFLUENCIADO PELA FÓRMULA DA AMIZADE

Lembre-se que Vladimir havia inicialmente jurado nunca falar comigo. A primeira coisa que fiz foi estabelecer *proximidade*. Todos os dias eu me sentava com ele e lia o jornal, sem dizer nenhuma palavra, praticamente ignorando-o. A atividade silenciosa estabelecia a proximidade, porém, mais importante, não consistia em uma ameaça. Assim que Vladimir determinou que eu não era uma ameaça, ele ficou curioso. Por que esse agente vem aqui todos os dias? Qual é o seu propósito? Por que ele não me diz nada? Minhas visitas diárias e leitura silenciosa serviram como uma isca para sua curiosidade. Sobrecarregado, Vladimir quebrou seu silêncio e deu o primeiro passo para estabelecer contato. Falar comigo já não era mais minha ideia; agora era ideia dele, que tinha tomado a iniciativa. Mesmo então, não comecei a falar imediatamente; em vez disso, lembrei-o de seu juramento. Além da Fórmula da Amizade, isso introduziu dois princípios psicológicos que serão discutidos mais tarde neste livro: o princípio da "escassez" e o princípio do "quanto mais restrição, mais desejo".

Resumindo, não me abri prontamente para Vladimir, o que aumentou sua curiosidade, causando um incremento em sua motivação para falar. Assim que ele abriu seu espaço pessoal e psicológico para mim, pude usar as técnicas de construção de conexão discutidas neste livro para trazê-lo ao ponto onde ele voluntariamente me entregou as informações.

Para usar eficazmente a Fórmula da Amizade, você deve ter em mente que tipo de relação está querendo estabelecer e o tempo que será necessário passar com a pessoa do seu interesse. Obviamente, a fórmula não terá um grande papel se você apenas encontrar essa pessoa uma vez ou esporadicamente. Para ilustrar: digamos que você está em Cleveland, Ohio, para uma conferência de um dia e encontra uma mulher ou homem particularmente atraente (você escolhe) e quer passar a noite com ele ou ela. Ao passar um sinal amistoso, ele não é recíproco; na verdade, a pessoa "aciona os escudos". Nesse momento, você não chegará a lugar algum com esse indivíduo; ao menos não no mesmo dia. Mas, de acordo com a Fórmula da Amizade, se você acabar se mudando para Cleveland, pode conseguir conquistar essa pessoa usando *proximidade, frequência, duração* e *intensidade* para desenvolver uma relação.

O ESPECTRO DA AMIZADE

Amigo   Estranho   Inimigo

Quando duas pessoas se encontram pela primeira vez (assumindo que nenhuma delas sabe nada sobre a outra), elas são *estranhas*. Imagine-se andando pela rua numa cidade onde você não conhece ninguém e as pessoas andam em direção a seus destinos. Ou imagine-se num bar, restaurante ou outro local público onde você está entre dezenas de pessoas desconhecidas. Nesses casos, você está na zona dos "estranhos" no espectro da amizade. Você é um estranho para as pessoas ao seu redor, assim como elas são estranhas para você.

A maioria das interações humanas permanece na zona dos estranhos. Nós dificilmente notamos as centenas, talvez milhares, de interações pessoais que experimentamos em nossa vida diária. Mesmo assim, às vezes um estranho faz algo que nos chama a atenção; então nos tornamos *cientes* desse indivíduo. Não precisa ser algo óbvio. De fato, num primeiro momento podemos nem mesmo entender por que uma pessoa em particular chamou nossa atenção.

O que faz um estranho repentinamente se destacar e se tornar um ponto de interesse? Esse estranho foi pego, na falta de um termo melhor, no *scanner territorial* do seu cérebro. Cientistas descobriram que, no cotidiano, nossos sentidos estão constantemente enviando mensagens ao cérebro que, por sua vez, processa a informação para avaliar, entre outras coisas, se algum indivíduo em nosso campo visual pode ser ignorado, merece ser abordado ou é alguém a ser evitado. Esse processo é automático ou "programado" em nosso cérebro, e é baseado em sua capacidade de interpretar comportamentos específicos verbais ou não verbais como "amistosos", "neutros" ou "inimigos".

A função do scanner territorial pode ser descrita usando a seguinte analogia. Uma mulher está caminhando numa praia. Enquanto anda, ela segura um detector de metal à sua frente, oscilando para a esquerda e para a direita. A maior parte de sua andança não é interrompida; o detector de metal não "pegou" nada de interessante debaixo da areia. Mas, de vez em quando, a máquina soa um bipe e a mulher se detém naquele lugar para cavar e descobrir o que está enterrado ali. O que ela encontra pode ser um tesouro... um relógio caro ou uma moeda valiosa. Ou pode ser lixo... uma lata descartada ou um pedaço de alumínio. Se ela for extremamente azarada, pode ser uma mina esquecida esperando para ser detonada.

Seu cérebro é como o detector de metal: constantemente avaliando seu ambiente, buscando sinais que indiquem coisas que você deveria abordar ou evitar, ou que são irrelevantes e podem ser ignoradas. Cientistas comportamentais passaram décadas descobrindo, catalogando e descrevendo os tipos de comportamento humano que o cérebro interpreta como sinais "amistosos" ou "inimigos". Uma vez que saiba quais são os sinais, você será capaz de usá-los para fazer amigos e, como benefício colateral, manter longe pessoas indesejadas.

SINAIS PARA ALUGAR, FINANCIAR OU DE NÃO ESTÁ À VENDA

Uma de minhas estudantes relatou à classe que havia notado sinais não verbais interessantes em seu bar local. Frequentemente observava que os homens em relações exclusivas enviavam sinais diferentes dos homens em relações comprometidas, mas abertas a casos extraconjugais. Ela comentou que podia sentir fortes sinais não verbais inimigos de alguns homens casados que desencorajavam qualquer atenção pessoal indesejada. Mas outros homens supostamente comprometidos enviavam fortes sinais amistosos, denunciando que estavam buscando algo mais. A estudante notou que esses sinais amistosos eram mais sutis do que os sinais enviados por homens solteiros.

A CARRANCA URBANA

Você já se perguntou por que certo indivíduo parece possuir um "talento" para atrair outros, causando uma boa impressão e fazendo as pessoas gostarem dele, enquanto outra pessoa, igualmente atraente e bem-sucedida, parece não conseguir duplicar esse "apelo magnético"? Geralmente tudo se resume ao envio inconsciente de sinais "inimigos". Outra estudante me contou (infelizmente, para ela) um grande exemplo disso. Ela mencionou que estava tendo dificuldade em fazer amizades na faculdade onde leciono. Disse que as pessoas comentavam que ela parecia fria, distante e fechada, mas que, assim que a conheciam, facilmente desenvolviam uma relação.

Enquanto conversávamos, descobri que ela cresceu numa vizinhança perigosa em Atlanta, onde precisou aprender desde cedo a se proteger. Disse que ela não precisava melhorar suas habilidades de comunicação, mas mudar a maneira como se apresentava para as pessoas. Ela não havia parado de mostrar sua "carranca urbana" para o mundo. Isso não é incomum para as pessoas que cresceram em vizinhanças perigosas ou mesmo em grandes cidades. A carranca urbana envia um sinal não verbal claro de que você é um inimigo, não um amigo. É um aviso para manter distância e "não se meter comigo". Predadores são menos propensos a tomar como alvo uma pessoa que projeta essa carranca urbana, então isso se torna uma valiosa ferramenta de sobrevivência em vizinhanças perigosas. Uma vez que minha aluna faça um esforço consciente para enviar mais sinais "amistosos", não terá mais problemas em se conectar com os outros estudantes.

Uma carranca urbana.

Você gostaria de abordar a pessoa na foto com uma carranca urbana? Tenha em mente que muitas pessoas que exibem essa expressão estão totalmente inconscientes dos sinais que enviam e de que desencorajam os outros a interagir. É por isso que é tão importante entender o que constitui sinais não verbais apropriados.

QUANDO ENVIAR SINAIS INIMIGOS

Pessoas que vivem nas ruas constantemente buscam esmolas, principalmente nas cidades grandes. Elas podem ser persistentes. Mas sua persistência não é aleatória. Elas tomam como alvo pessoas com mais chances de lhe darem dinheiro e agressivamente as perseguem. Como sabem quem é coração mole e quem é durão? Fácil: analisam os sinais amigos ou inimigos. Se o alvo faz contato visual, as chances aumentam. Se o alvo sorri, as chances aumentam. Se o alvo mostra pena, as chances aumentam.

Se você constantemente vira alvo de pedintes e mendigos, provavelmente é porque está enviando inconscientemente sinais não verbais que convidam ao contato pessoal. Sem contato pessoal, as chances de receber dinheiro são inexistentes. Pedintes sabem disso e perseguem alvos com maior probabilidade de sucesso. Portanto, nesse caso, uma carranca urbana pode ser bastante útil.

Certa vez, quando era adolescente, eu estava andando numa vizinhança que não me era familiar e que no fim se mostrou ser bastante perigosa. Eu era realmente um peixe fora d'água ali. Um homem mais velho, que reconheceu que eu estava fora da minha zona de conforto, veio em meu resgate. Ele me ofereceu um conselho não solicitado, mas extremamente valioso, para que eu pudesse sair dali em segurança: "Ande como se tivesse um lugar para ir. Balance os braços e dê passos decididos. E, se alguém falar com você, responda como se tivesse algo a dizer. Se puder fazer isso, você não será visto como uma vítima em potencial e terá menos chances de se tornar uma". Foi um bom conselho, na época, e o continua sendo agora.

Suas comunicações não verbais (seu comportamento) e verbais (aquilo que você diz) enviam sinais para aqueles ao seu redor. Mover-se decididamente possui um propósito. Para um predador em potencial, você tem menos chances de ser visto como presa, assim como um antílope saudável e alerta provavelmente não será a primeira escolha de um leão que está perseguindo um grupo de animais na savana africana.

Cullen Hightower fez uma observação muito perspicaz: "Estranhos são a matéria-prima das amizades". Sempre que você encontra uma pessoa pela primeira vez, esse indivíduo começa como um estranho e, no momento do contato, ocupa a exata posição do meio no espectro amigo-inimigo. Se você usar os sinais verbais e não verbais discutidos neste livro, pode transformar estranhos em amigos.

O PATAMAR HUMANO

Imagine-se dirigindo do trabalho para casa e de repente você percebe que um carro está colado na sua traseira. Seu cérebro, que constantemente absorve informações dos cinco sentidos, detectou uma ameaça. O outro carro fez algo anormal. Ele invadiu a bolha de espaço que separa a "distância segura" da "distância insegura", e agora representa um risco ao seu bem-estar. Mas aqui está o interessante: você esteve "automaticamente" monitorando o tráfego atrás de você sem nem mesmo perceber que estava fazendo isso enquanto os outros veículos não penetravam na sua bolha de proteção. Você apenas notou quando alguém invadiu os limites da distância segura.

Aquilo que é verdade no trânsito, também é verdade ao fazer amigos. Seu cérebro automaticamente monitora a comunicação verbal e não verbal. Quando as informações são avaliadas como normais e não ameaçadoras, você responde a elas automaticamente; elas não levantam suspeitas ou sensação de perigo. É por isso que as técnicas que você irá aprender funcionam; todas elas se encaixam no patamar humano. Mesmo que você *pense* que uma pessoa "perceberia" o que você está fazendo, ela não perceberá, pois o cérebro detecta esses comportamentos como normais e, assim como carros seguindo numa distância segura, eles não levantam suspeitas.

Ao longo deste livro, enfatizaremos os sinais amigos e inimigos. Eles entram no comportamento básico dos seres humanos e podem ser usados para incrementar suas relações. Cada um possui a capacidade de usar esses sinais; na verdade, todos nós os usamos durante a vida. Infelizmente, muitas pessoas não conhecem todos os sinais disponíveis para usar e/ou como usá-los mais eficazmente. Isso é ainda mais verdadeiro hoje do que no passado, por causa dos avanços tecnológicos que têm sufocado o desenvolvimento de nossa "inteligência emocional".

FAZENDO AMIGOS NO MUNDO DE HOJE

Certa vez, convidei dois estudantes para subirem até o palco na frente da classe, no começo de uma palestra. Pedi que eles se sentassem cara a cara e conversassem um com o outro por cinco minutos. Eles se surpreenderam e perguntaram sobre o que deveriam conversar. Disse para falarem sobre qualquer coisa que quisessem, e eles não conseguiram pensar em nenhum assunto! Apenas sentaram lá e ficaram olhando um para o outro. Eu então instruí que virassem as cadeiras para que ficassem de costas e então conversassem com mensagens de texto. Surpreendentemente, não tiveram problema algum em conversar via texto pelos cinco minutos seguintes.

E aí mora o problema. Antes dos celulares e videogames, as crianças aprendiam habilidades sociais básicas durante interações cara a cara na escola. Aprendiam tudo sobre fazer amigos e como lidar com conflitos e diferenças interpessoais; era lá que se aprendia a socializar. Enquanto isso, as crianças aprendiam a ler e a transmitir sutis sinais não verbais, mesmo não tendo consciência disso.

No mundo de hoje, ninguém brinca mais como as gerações anteriores. As crianças ficam em casa jogando videogame e trocam mensagens de texto. Claro, existem esportes e atividades nas escolas, mas a interação social cara a cara tem sido drasticamente reduzida em nosso mundo tecnológico. Isso é ruim. Não é que as "crianças tecnológicas" não possuam a capacidade de absorver as habilidades sociais e os sinais; acontece que elas não praticam o bastante para afiar essas habilidades e se tornarem eficazes em lidar com relações cara a cara.

Uma demonstração visual de que a comunicação cara a cara
é mais difícil do que a comunicação virtual.

Nas fotos anteriores, note os sinais entre os dois indivíduos que estão tentando ter uma conversa. Na primeira foto, o homem colocou as mãos no bolso e está olhando para longe. A mulher está olhando para baixo. Nada de cabeças inclinadas, sorrisos, nenhum gesto positivo, nenhum espelhamento. A foto seguinte mostra a linguagem corporal relaxada e positiva associada a pessoas jovens enquanto se comunicam por mensagens de texto.

Este livro foi criado para despertar o seu melhor quando se trata de fazer amigos e também para desfrutar relações bem-sucedidas – na vida real, e não apenas na vida digital.

2

SER NOTADO ANTES DE DIZER QUALQUER PALAVRA

*Você nunca recebe uma segunda chance de causar
uma boa primeira impressão.*
—WILL ROGERS

Talvez você tenha tido sorte o bastante quando criança para passar um verão preguiçoso observando o show de luzes da natureza. Talvez até tenha apanhado um vidro na cozinha e tentado capturar os pontinhos de luz que apareciam e desapareciam na escuridão, flutuando como pequenas lanternas numa brisa gentil.

Vaga-lumes estão entre as criaturas mais fascinantes da Terra. Para os propósitos deste livro, *como* os vaga-lumes acendem não é relevante; você precisaria ser biólogo e físico para entender o processo. O que nos interessa é *por que* eles acendem.

Acontece que os vaga-lumes acendem por várias razões. Cientistas acreditam que a luz é um alerta para potenciais predadores mostrando que possuem um sabor desagradável e seriam uma péssima refeição. Como os predadores chegariam a essa conclusão não é explicado. Outros apontam para o fato de que diferentes espécies de vaga-lumes possuírem padrões entre si que ajudam a identificar membros da própria espécie e determinar o sexo dos indivíduos. A razão para nosso interesse envolve o uso da luz pelo vaga-lume como um sinal para o acasalamento. Aqui, "piscar" ganha um sentido completamente novo. Cientistas determinaram que o vaga-lume macho possui padrões específicos para atrair as companheiras. Se algum dia você precisar de assunto para iniciar uma conversa, talvez se interesse em saber que Marc Brown observou que "ritmos mais frenéticos, assim como a intensidade da luz, se mostraram mais eficazes em atrair fêmeas em duas espécies diferentes de vaga-lumes".

VAGA-LUMES E AMIGOS

O comportamento do vaga-lume é uma ótima metáfora para o processo de nos tornarmos mais atraentes para outras pessoas, deixando-as predispostas a nos enxergar como potenciais amigos. Uma vez que as pessoas geralmente nos *veem* antes de nos *ouvir*, os sinais não verbais que enviamos podem influenciar suas opiniões. Isso é particularmente verdadeiro: ao encontrar uma pessoa pela primeira vez, ela não possui nenhum conhecimento prévio sobre você. Assim como o vaga-lume, você pode transmitir sinais "amistosos" ou "inimigos" para os indivíduos ao seu redor em uma tentativa de encorajar ou desencorajar a interação. Ou pode "apagar sua luz" e permanecer relativamente anônimo.

Lembre-se, em qualquer circunstância em que dois ou mais estranhos estejam próximos existe a chance de uma pessoa observar a outra. O que ela enxergar será automaticamente processado pelo cérebro para determinar potenciais sinais "amistosos" ou "inimigos". Na maioria das situações, o processo acaba aí, caso a aparência da pessoa seja "neutra", o cérebro, analisando a pessoa como não sendo uma ameaça nem uma oportunidade, escolhe ignorá-la completamente. Pense nisso como se fosse uma pessoa tentando chamar um táxi em Nova York. Enquanto dezenas de carros andam pela rua, a atenção do indivíduo se foca no letreiro acima do táxi. Se a luz está apagada, o carro é rapidamente ignorado, mas se a luz está acesa a atenção e as ações da pessoa são direcionadas para aquele veículo específico.

Tenho certeza de que em algum momento você se juntou aos seus amigos para sair e conhecer membros do sexo oposto. Já notou como algumas pessoas parecem atrair atenção enquanto outras dificilmente são notadas? Às vezes é por causa de diferenças na atração física ou manifestações de riqueza, mas, de forma frequente, talvez até com mais frequência, isso acontece porque a pessoa "popular" está enviando sinais "amistosos" que a tiram do ponto "neutro" (estranho) e a levam ao ponto "positivo" (amigo), aumentando as chances de interação social.

Nosso cérebro continuamente busca no ambiente sinais amistosos ou inimigos. Pessoas que enviam sinais inimigos são percebidas como uma ameaça a ser evitada. Pessoas que transmitem sinais amigos são percebidas como acessíveis. Quando você conhece pessoas, certifique-se de enviar as dicas não verbais certas para que elas o enxerguem sob uma luz positiva em vez de negativa.

OS TRÊS MAIORES SINAIS AMISTOSOS

O que exatamente são esses sinais não verbais amistosos que podem ser usados para melhorar as chances de outras pessoas o notarem e que estabelecem uma base positiva para uma amizade, seja por uma noite ou para a vida inteira? Existem inúmeros sinais para escolher, mas, para nossos propósitos, três sinais são cruciais se quiser encorajar outros a enxergá-lo como uma pessoa legal e merecedora de uma possível amizade. São eles: "sobrancelha levantada", "inclinação da cabeça", e o real, não falso, "sorriso" (sim, o cérebro humano pode detectar a diferença!).

SOBRANCELHAS LEVANTADAS

O levantar de sobrancelhas é um rápido movimento de baixo para cima, que dura aproximadamente um sexto de segundo e é usado como um sinal não verbal amistoso primário. Quando indivíduos se aproximam um do outro, eles levantam as sobrancelhas para enviar a mensagem de que não são uma ameaça. A um metro e meio de distância de alguém, nosso cérebro procura por esse sinal. Se o sinal está presente e o retribuímos, nossa comunicação não verbal está dizendo à outra pessoa que não somos um inimigo a ser temido ou evitado. A maioria das pessoas não percebe que suas sobrancelhas se levantaram porque o gesto é quase inconsciente. Experimente você mesmo: observe indivíduos quando se encontram pela primeira vez e, se possível, em interações subsequentes. Quando as pessoas cumprimentam outras pela primeira vez num escritório ou evento social, usam um cumprimento verbal junto com um levantar de sobrancelhas. Cumprimentos verbais podem incluir "como vai você?", "e, aí?", ou "como estão as coisas?". Na segunda vez que as pessoas se encontram, elas não precisam dizer nada, mas trocam movimentos das sobrancelhas ou, no caso dos homens, do queixo. Esse movimento do queixo é um movimento para frente e levemente para o alto. Na próxima vez que você encontrar alguém, preste atenção naquilo que você faz e no que a outra pessoa faz. Você ficará surpreso com a quantidade de atividades não verbais que acontecem quando as pessoas se encontram. Ficará ainda mais surpreso quando constatar que passou a vida inteira sem reconhecer os sinais não verbais que você envia.

Movimentos de sobrancelha podem ser enviados a longas distâncias. Se você está interessado em conhecer alguém do outro lado de um salão lotado, envie um movimento das sobrancelhas e observe o sinal de retorno. Se receber um movimento igual em resposta, aprofundar o envolvimento é possível. Nenhum sinal em resposta pode indicar falta de interesse. Portanto, você pode usar as sobrancelhas como um tipo de sistema de alerta primário para ajudar a determinar se a pessoa na qual está interessado tem algum interesse em você. A falta de resposta pode poupá-lo de um momento constrangedor ou mesmo de uma rejeição direta, e indicará que o melhor que você faz é buscar em outro lugar por uma pessoa mais receptiva.

Um levantar de sobrancelhas natural. Em situações da vida real, não parece tão exagerado porque o movimento acontece muito rapidamente.

Se você continuar interessado em conhecer uma pessoa que não retribui seu movimento de sobrancelhas, a falta de resposta não garante que essa pessoa está "fora dos limites", mas pense em usar (e procurar) outros sinais amistosos antes de decidir se deve tentar abordar esse indivíduo.

Movimentos "amistosos" das sobrancelhas envolvem *breve* contato visual com outra pessoa, principalmente se você não a conhece ou conhece apenas de passagem. Contato visual prolongado entre duas pessoas indica emoção intensa, e pode ser um ato de amor ou hostilidade. O contato visual prolongado (uma "encarada") é tão perturbador que, em encontros sociais normais, evitamos olhar nos olhos por mais de um segundo ou dois. Entre um grupo de estranhos num local público, contato visual geralmente dura apenas uma fração de segundo, e a maioria das pessoas evita fazer qualquer contato visual.

Nem todos os movimentos de sobrancelha são amistosos. Você pode ver um exemplo de movimento "não natural" nas fotos a seguir. Em tempo real, um movimento não natural das sobrancelhas ocorre quando uma pessoa "segura" o movimento na parte de cima por muito tempo. Esse tipo de movimento será percebido, na melhor das hipóteses, como não amistoso, e na pior, como esquisito. Se você receber ou exibir um movimento não natural das sobrancelhas, isso será percebido como um sinal inimigo e, assim como a carranca urbana, não será um condutor de interações sociais nem ajudará a fazer amizades.

INCLINAÇÃO DA CABEÇA

Inclinar a cabeça para a esquerda ou para a direita é um gesto não ameaçador. A cabeça inclinada expõe uma das artérias carótidas, que ficam posicionadas de cada lado do pescoço. As artérias carótidas são a via que supre o cérebro com sangue oxigenado. Cortar uma artéria carótida leva à morte em poucos minutos. Pessoas que se sentem ameaçadas protegem a carótida comprimindo o pescoço sobre os ombros. As pessoas expõem a carótida quando encontram indivíduos que não representam uma ameaça.

Movimento de sobrancelhas não natural.

Inclinações de cabeça.

Uma inclinação de cabeça é um forte sinal amistoso. As pessoas que inclinam a cabeça quando interagem com os outros são vistas como mais atraentes e dignas de confiança. As mulheres enxergam os homens que se aproximam com a cabeça inclinada como mais atraentes. Igualmente, pessoas que inclinam a cabeça na direção de seu interlocutor são percebidas como mais amigáveis, bondosas e honestas, se comparadas com indivíduos cujas cabeças permanecem eretas quando falam.

As mulheres inclinam a cabeça mais frequentemente do que os homens. Homens tendem a se comunicar com a cabeça levantada para representar dominância. Esse gesto no mundo dos negócios pode ser uma vantagem; entretanto, num contexto social, a ausência da inclinação da cabeça pode enviar a mensagem errada. Num ambiente de paquera, como bares e boates, os homens devem fazer um esforço consciente para inclinar a cabeça para um dos lados quando abordarem mulheres, ou poderão ser percebidos como predadores. Nesses casos, você pode ser um cara legal e suas intenções podem ser amigáveis, mas suas ações podem fazer a mulher "acionar os escudos" e dificultar, ou até mesmo impossibilitar, um contato significativo.

Parece que a cabeça inclinada possui um apelo "amistoso" universal em todo o reino animal.

O SORRISO

Um sorriso é um poderoso sinal amistoso. Rostos sorridentes são considerados mais atraentes, mais simpáticos e menos dominantes. Um sorriso exibe confiança, felicidade, entusiasmo e, mais importante, sinaliza aceitação. Transmite cordialidade e aumenta o fator de atração da pessoa que está sorrindo. O mero ato de sorrir pode colocar as pessoas num humor mais receptivo e relaxado. Na maioria das vezes, as pessoas sorriem para aqueles indivíduos de que gostam e não sorriem para aqueles de que não gostam.

Um sorriso libera endorfina, que nos dá uma sensação de bem-estar. Quando sorrimos para outras pessoas, é muito difícil que elas não sorriam de volta. Esse sorriso retribuído faz o alvo do seu sorriso sentir-se bem consigo mesmo e, como aprenderemos mais tarde, se você fizer as pessoas se sentirem bem com elas mesmas, elas gostarão de você.

O único problema com o sorriso é aquilo que os cientistas e as pessoas observadoras já reconheceram há muito tempo: existe um sorriso "real" ou "genuíno" e existe um sorriso "falso" ou "forçado". O sorriso "real" é usado com pessoas que nós realmente queremos contatar ou que já conhecemos e de quem gostamos. Por outro lado, o sorriso falso geralmente é usado quando somos forçados por alguma obrigação social ou profissão que requer uma aparência sempre alegre.

Você consegue dizer qual é o sorriso "real" e qual é o "falso"?
Se não conseguir, não se desespere. Na verdade, os dois são reais!

Se você quer que as pessoas gostem de você, então seus sorrisos precisam ser genuínos. Os sinais de um sorriso genuíno são os cantos da boca dobrados para cima e o movimento para cima das bochechas acompanhado das rugas ao redor dos olhos. Ao contrário dos sorrisos sinceros, sorrisos forçados tendem a ser assimétricos. Para pessoas destras, um sorriso forçado tende a ser mais forte no lado direito da face e, para canhotos, no lado esquerdo. Sorrisos falsos também não possuem sincronia. Eles começam atrasados em relação a sorrisos reais e se apagam de forma irregular. Com um sorriso real, as bochechas se erguem, bolsas se formam debaixo dos olhos, pés de galinha aparecem nos cantos dos olhos, e com alguns indivíduos, o nariz aponta para baixo. Num sorriso falso, você pode ver que os cantos da boca não estão virados para cima e as bochechas não estão levantadas para causar rugas ao redor dos olhos. Essas rugas geralmente são difíceis de enxergar em pessoas jovens, cuja pele é mais elástica. Mesmo assim, o cérebro consegue perceber a diferença entre um sorriso real e um sorriso falso.

Um sorriso falso.

Uma expressão neutra.

Um sorriso real.

O EFEITO DOS SORRISOS

O jeito como você sorri irá influenciar a maneira como as pessoas o enxergam e irá encorajar ou desencorajar a amizade. As mulheres geralmente usam sorrisos para regular a iniciação dos primeiros encontros e para ditar o ritmo das interações pessoais. Homens abordam mais as mulheres que sorriem para eles. Um sorriso sincero dá aos homens permissão para se aproximarem. Um sorriso forçado ou inexistente envia a mensagem de que a mulher não está interessada. Igualmente, a mulher pode enviar a mensagem de que está aberta a aproximações regulando frequência e intensidade dos sorrisos, em conjunto com outros sinais amistosos.

Aprender como produzir um sorriso "real" quando quiser, principalmente quando você não está com humor para isso, requer prática. Estude as fotos neste livro e pense nos sorrisos que você encontra em sua vida cotidiana. Depois, fique em frente ao espelho e pratique sorrisos falsos e reais. Não será tão difícil. Apenas pense sobre as vezes em que você genuinamente quis mostrar apreciação para alguém que ama ou pense em alguma vez em que foi forçado a sorrir em alguma situação desagradável. Pratique o sorriso real até se tornar automático, e então você poderá usá-lo sempre que desejar.

CONTATO VISUAL

O contato visual funciona junto a outros sinais amistosos. Ele pode ser usado a distância e, como outros sinais não verbais descritos neste capítulo, é uma maneira para ser notado antes de dizer qualquer palavra. Além disso, assim como os outros sinais, é usado para dar ao receptor uma impressão positiva de você, como alguém que será visto como um potencial amigo.

Para enviar um sinal amistoso via contato visual, olhe nos olhos da pessoa por não mais de um segundo. Mais do que isso pode ser percebido como um sinal agressivo. Como já mencionado, quando você encara uma pessoa, principalmente num ambiente de paquera, está invadindo o espaço pessoal do seu alvo. Se você não possui permissão para entrar no espaço pessoal, suas ações serão percebidas como comportamento predatório ou como esquisitice. Você deve terminar o contato visual com um sorriso. Se não conseguir sorrir genuinamente, certifique-se que os cantos da sua boca estão virados para cima, franzindo as laterais dos olhos. Receber um sorriso de volta indica interesse. Se o seu alvo olhar você nos olhos e depois baixar o olhar brevemente para então reestabelecer contato visual, você pode se aproximar dessa pessoa com alto grau de confiança de que será bem recebido.

CONTATO VISUAL ESTENDIDO

Contato visual estendido é um jeito poderoso de construir conexão. Esse comportamento não verbal não deve ser confundido com o ato de encarar. Tipicamente, quando você faz contato com outra pessoa, seus olhos se encontram por um segundo ou menos, e depois vocês desfazem o contato. Contato visual que durar mais do que um segundo será percebido como ameaçador. Encarar as pessoas, principalmente estranhos, é considerado um sinal inimigo. Entretanto, quando duas pessoas se conhecem e se gostam, elas possuem permissão para prolongarem o contato visual para mais do que alguns segundos. Pessoas romanticamente envolvidas geralmente olham nos olhos um do outro por longos períodos de tempo. Com a técnica descrita a seguir, o poder desse olhar mútuo pode ser usado com segurança em estranhos para incrementar a formação da conexão.

Após fazer contato visual, segure o olhar por um segundo depois lentamente vire a cabeça, segurando o olhar por mais um ou dois segundos. A pessoa irá enxergar sua cabeça virando, dando a ilusão de romper o contato visual, e suas ações não serão percebidas como o ato de encarar. Essa técnica permite que você intensifique o conteúdo emocional do seu sinal amistoso. Contato visual estendido não deve ser usado para forçar uma intimidade prematura. Homens geralmente exageram nessa técnica e prejudicam relações em potencial.

DILATAÇÃO DA PUPILA

Dilatação da pupila expressa interesse. Quando um indivíduo vê uma pessoa interessante, suas pupilas se dilatam. Quanto maior a dilatação, mais atração a pessoa sente. Isso é obviamente um sinal de atração positiva, embora seja difícil de perceber em interações do cotidiano. Portanto, seu valor como sinal amistoso é bastante limitado.

A dilatação da pupila é mais notável em pessoas com olhos azuis. Pessoas com olhos escuros parecem mais exóticas porque seus olhos parecem dilatados o tempo todo. No primeiro século a.C., Cleópatra, a mulher mais bonita de seu tempo, usava atropina, uma droga natural, para dilatar as pupilas e parecer mais sensual. Dilatação da pupila pode ocorrer com mudanças na luz ambiente, portanto é preciso tomar cuidado ao interpretar essa resposta automática.

PERMISSÃO PARA SER PRESO: USANDO SINAIS AMISTOSOS PARA ENCORAJAR UMA CONFISSÃO

Num caso em particular, quando eu era agente do FBI, havíamos identificado um suspeito de abuso infantil. Conhecíamos ao menos uma vítima, mas havia indícios de muitas outras. Acreditava-se que o suspeito usava seu computador para encontrar as vítimas. Eu queria prendê-lo imediatamente, mas não tinha provas suficientes para obter um mandado de prisão.

Decidi interrogar o suspeito e tentar conseguir sua permissão para o FBI examinar seu computador pessoal. Para ter alguma chance de sucesso, eu precisava criar um ambiente não ameaçador, rapidamente construir uma conexão e, quando chegasse o momento certo, pedir a permissão. Convidei o suspeito a me encontrar no escritório do FBI. Fiz isso para dar uma sensação de controle (ele podia determinar como agiria) e demonstrar que a entrevista era voluntária (ele não estava sendo forçado a falar).

Recebi o suspeito na porta com um movimento de sobrancelha calculado, a cabeça levemente inclinada e um sorriso real simulado, inclusive com pés de galinha no canto dos olhos. Exibir sinais amistosos reais não era possível, pois eu considerava o comportamento do suspeito totalmente repugnante. Apertei sua mão calorosamente e o convidei para entrar na sala de interrogatório. Ofereci café, por duas razões. Primeiro, queria usar o princípio psicológico da reciprocidade. Quando as pessoas recebem coisas, mesmo que sejam triviais, elas sentem a necessidade de retribuir. Em troca do café, eu queria seu consentimento. Segundo, queria ver onde o suspeito colocaria a xícara, para determinar quando a conexão se estabeleceria (essa técnica será discutida em outro capítulo). Quando entreguei a xícara, ele afirmou: "Como você pode me tratar com tanto respeito depois do que fiz?". Isso foi uma confissão, embora pequena, mesmo antes das perguntas começarem. Consegui estabelecer uma conexão suficiente com o suspeito usando sinais amistosos simulados para dar a ele a ilusão de que eu não era uma ameaça, mas uma pessoa a quem ele podia confiar um segredo – um segredo que o colocou na cadeia para o resto da vida.

O PARADOXO DO BOTOX

Quando se trata de sinais amistosos, às vezes as melhores intenções acabam com consequências negativas inesperadas. Por exemplo, considere a triste história da esposa que queria parecer mais jovem e atraente para seu marido. Ela decidiu se tratar com Botox no rosto e uma leve cirurgia para suavizar as linhas e rugas. Mal podia esperar para mostrar os resultados a seu marido.

Então, o que aconteceu quando ele viu sua "nova" esposa? Porque o Botox paralisa certos músculos ao redor dos olhos por cerca de dois meses, ela não conseguia exibir movimentos de sobrancelha e sorrisos reais, incluindo os pés de galinha que ele estava acostumado a ver. A mulher parecia mais atraente mas, porque o marido não estava recebendo os sinais amistosos a que estava acostumado, passou a suspeitar que sua esposa não o amava mais e fez a cirurgia para ficar mais atraente para outra pessoa. A menos que o marido saiba o *porquê* de a esposa não estar enviando os sinais amistosos, os resultados da tentativa de ficar mais bonita podem ser realmente feios!

Exemplos de toques seguros. No começo de uma relação, os toques devem ser limitados entre o cotovelo e o ombro, e de mão a mão.

TOQUE: O SINAL DA AMIZADE... MAS TENHA CUIDADO

Tocar é uma forma não verbal de comunicação sutil, poderosa e complexa. Em situações sociais, a linguagem do toque pode ser usada para transmitir uma variedade surpreendente de mensagens. Diferentes toques podem ser usados para expressar concordância, afeto, afiliação ou atração, para oferecer apoio, enfatizar um argumento, chamar atenção ou pedir participação, guiar e dirigir, cumprimentar, parabenizar, estabelecer ou reforçar relações de poder e negociar níveis de intimidade.

Para nossos propósitos, o toque é importante para fazer amigos, já que pesquisas concluíram que mesmo o toque mais breve pode ter influência dramática em nossas percepções e relações. Experimentos mostraram que mesmo um leve toque no braço durante um breve encontro social entre estranhos possui efeitos positivos, tanto imediatos como duradouros. Pedidos educados de ajuda, por exemplo, produzem mais resultados positivos quando acompanhados por um leve toque no braço.

Mas proceda com cuidado: mesmo o toque mais inócuo pode produzir uma reação negativa na pessoa tocada. Essas reações negativas incluem afastar o braço, aumentar a distância, franzir as sobrancelhas, virar de costas ou outras expressões de desgosto ou ansiedade. Reações negativas indicam que a pessoa dificilmente enxergará você como potencial amigo.

A menos que o indivíduo seja excepcionalmente tímido e reservado, reações negativas a um simples toque no braço provavelmente indicam repulsa ou desconfiança. Com a exceção de apertos de mão tradicionais, tocar a mão de outra pessoa é mais pessoal do que tocar o braço. O toque de mão serve como um barômetro para relações amorosas. Filmes geralmente focam em toques de mão para sinalizar que uma relação está esfriando, crescendo ou no auge. Se você tocar a mão de uma pessoa e ela se afastar, mesmo que levemente, a pessoa que está sendo tocada ainda não está pronta para intensificar a relação. Afastamento não significa necessariamente um sinal de rejeição. Significa que você terá que construir mais conexão com a pessoa antes de avançar a relação. Aceitação do toque sinaliza que a pessoa está pronta para dar as mãos, que é uma forma mais intensa de toque. Entrelaçar os dedos é a forma mais íntima de se dar as mãos. Um jeito sem riscos para medir a força de uma nova relação é "acidentalmente" tocar ou raspar contra a mão do seu alvo. A maioria das pessoas irá tolerar um toque acidental, mesmo se não gostarem da pessoa que os toca, mas irão enviar inconscientemente sinais não verbais indicando a aceitação ou rejeição do toque. Observe esses sinais e proceda adequadamente.

PRÁTICAS ISOMÓRFICAS (ESPELHANDO O COMPORTAMENTO DE OUTRA PESSOA)

Prática isomórfica é um termo chique para "espelhamento", uma prática não verbal que pode ser usada para melhorar o desenvolvimento e a eficácia de uma amizade. O espelhamento cria uma impressão favorável na mente da pessoa que você espelha. Quando encontrar uma pessoa pela primeira vez e quiser ganhar sua amizade, faça um esforço consciente para espelhar sua linguagem corporal. Se a pessoa cruzar os braços, cruze também os seus. Se a pessoa sentar com as pernas cruzadas, faça o mesmo. Em algumas situações, o espelhamento é impraticável. Se uma mulher usando um vestido curto não se sentir confortável para cruzar as pernas igual a um homem, apenas cruze da maneira possível, as pernas na altura do calcanhar ou dos joelhos.

A outra pessoa não irá notar conscientemente seu espelhamento porque isso faz parte do comportamento básico do ser humano e o cérebro considera "normal". Entretanto, a ausência de espelhamento é um sinal inimigo, e o cérebro irá notar quando duas pessoas estão fora de sincronia durante interações pessoais. A pessoa não espelhada pode não ser capaz de dizer por que está se sentindo desconfortável, mas esse sinal inimigo irá disparar uma resposta defensiva, o que desencoraja tentativas de estabelecer amizade.

Práticas isomórficas (espelhamento).

Espelhamento precisa de prática. Felizmente, você pode ensaiar em qualquer ambiente social ou profissional. Quando casualmente se conversa com um grupo de amigos no trabalho ou em eventos sociais, você notará que os membros do grupo irão espelhar uns aos outros. Para praticar a técnica do espelhamento, mude sua postura ou posição. Dentro de um breve período de tempo, outros membros do grupo irão espelhar a sua postura. Nas primeiras vezes em que fizer isso, você pode sentir como se todos no grupo soubessem o que estão fazendo. Mas posso assegurar que não sabem. O que você sentirá é o efeito da atenção, que será descrito mais tarde neste capítulo. Outra maneira para praticar é espelhar pessoas aleatórias quando você as encontra. Após algumas sessões, você irá dominar essa técnica e será capaz de usá-la como uma ferramenta adicional ao estabelecer amizades.

INCLINAÇÃO PARA A FRENTE

As pessoas tendem a se inclinar na direção de indivíduos de que gostam e se distanciar de pessoas de que não gostam. Ocasionalmente, durante minha carreira no FBI, eu era destacado para comparecer a festas de embaixadas e cumprir funções diplomáticas. Passava a maior parte do tempo observando os outros convidados para determinar quais relações eram bem estabelecidas, quais estavam se desenvolvendo e quais convidados eram receptivos para a construção de uma relação.

Uma inclinação para a frente é sinal de receptividade à construção de uma relação. Inclinação entre pessoas conversando indica que uma relação positiva já foi estabelecida. Essa inclinação, junto a outros sinais amistosos como sorrir, assentir com a cabeça, sussurrar e tocar, indica uma relação ainda mais próxima entre os envolvidos.

As pessoas inclinam a cabeça levemente para trás para aumentar a distância de outra pessoa, o que sinaliza que a construção da relação não está indo bem. O mesmo se aplica quando indivíduos viram o torso para longe durante uma interação. As pessoas também podem posicionar os pés longe de visitantes indesejados. Esse tipo de sinal sutil pode ser a diferença entre aceitação e rejeição.

Eu frequentemente uso sinais não verbais para monitorar a eficácia de minhas palestras. Estudantes interessados no assunto se inclinam para frente nas cadeiras, inclinam a cabeça para um dos lados e periodicamente concordam com a cabeça. Estudantes não interessados, ou que perderam o interesse, se recostam na cadeira, reviram os olhos ou, em circunstâncias extremas, inclinam a cabeça para frente ou para trás quando caem no sono.

Esse foco em sinais não verbais também pode ser usado em ambientes de negócios. Se você está tentando vender algo para um grupo, pode descobrir quem é a pessoa que deve convencer, quem está em cima do muro ou quem está se opondo ao monitorar os gestos não verbais exibidos pela plateia.

VIRANDO A MESA... OU AQUELES QUE ESTÃO SENTADOS À MESA

Nos meus dias no FBI, tive que fazer várias apresentações. Numa delas, eu tentava obter fundos para uma operação que estava planejando há meses. A operação era complexa e cara. Conseguir o dinheiro se resumia a convencer as pessoas na reunião de que os benefícios da operação valiam a quantidade de recursos exigida.

Enquanto fazia minha apresentação, monitorava os sinais não verbais das pessoas sentadas ao redor da mesa. Imediatamente identifiquei aqueles que estavam do meu lado. Eles se inclinavam para frente e ocasionalmente assentiam com a cabeça. Também identifiquei aqueles que estavam céticos sobre os méritos da operação e seus custos. Meu instinto inicial era falar com as pessoas que concordavam comigo (rezar entre os padres), pois eu encontraria aceitação e conforto. Mas resisti a essa tentação. Eu não precisava convencer as pessoas que já havia ganho. Precisava ganhar aqueles que não concordavam comigo.

Foquei minha atenção nessas pessoas. Em várias ocasiões, andei pela sala me aproximando dos meus detratores, olhei diretamente para eles e fiz apelos pessoais. Lentamente, pude ver a maré virando para o meu lado. Aqueles indivíduos, originalmente contra mim, começaram a se inclinar para a frente, e suas cabeças penderam cada vez mais para os lados.

Após a apresentação, recebi a aprovação para minha operação. Monitorar sinais não verbais e saber o que significam me deu uma enorme vantagem ao apresentar meu caso. Fui capaz de adaptar meu discurso para as pessoas que não concordavam comigo e acabei convencendo-as.

SUSSURRANDO

O sussurro é um comportamento íntimo e um sinal positivo de amizade. Não é qualquer pessoa que pode sussurrar ao seu ouvido impunemente. Quando você vê dois indivíduos sussurrando entre si, pode inferir com relativa certeza que existe uma relação de proximidade.

ROUBANDO COMIDA

Imagine-se num restaurante e algum estranho se aproxima e apanha comida do seu prato com um garfo! Você certamente se sentiria incomodado e provavelmente não convidaria o indivíduo a se sentar. Agora, imagine-se tendo uma agradável refeição com sua família, e um filho ou uma irmã apanha comida do seu prato com um garfo. Provavelmente sua reação seria muito diferente. A diferença é que você possui uma relação próxima com seus familiares e, sob essas circunstâncias, roubar comida é considerado normal. Portanto, roubar comida é um sinal amistoso e, se permitido, indica uma relação de proximidade entre os indivíduos.

GESTOS EXPRESSIVOS

A intensidade dos gestos que as pessoas usam varia de cultura para cultura, até mesmo dentro de culturas. Algumas pessoas são naturalmente mais expressivas do que outras, mesmo em culturas socialmente mais restritivas. Mesmo assim, pessoas que gostam umas das outras tendem a exibir gestos mais expressivos. Esses gestos são um sinal de interesse naquilo que a pessoa está dizendo, e mantêm o foco da conversa em quem fala.

Palestrantes podem enfatizar um argumento com um forte movimento descendente da mão no final de uma frase, ou expressar franqueza e sinceridade com as palmas das mãos abertas. Gestos expressivos reforçam a comunicação verbal e o interesse mútuo.

Você pode encorajar amigos em potencial a continuarem falando (e a gostarem mais de você por causa disso) ao assentir com a cabeça, sorrir e focar a atenção (quando você se inclina para frente, abaixa levemente a cabeça e aparenta estar ouvindo atentamente). Saiba também que gestos não verbais podem também significar desconforto, desgosto e desinteresse.

ASSENTINDO COM A CABEÇA

Uma das maneiras com que podemos sinalizar para a pessoa que fala que estamos prestando atenção e que ela deve continuar é assentindo com a cabeça. Assentir duas vezes indica que desejamos um aumento no ritmo da fala. Assentir várias vezes ou uma única e lenta vez tende a perturbar a cadência da pessoa que fala. Assentir excessivamente pode apressar uma resposta. Assentir rapidamente envia um sinal não verbal para que o falante se apresse, geralmente porque o ouvinte quer dizer algo ou está desinteressado. Assentir rápido demais pode ser percebido como um comportamento rude ou uma tentativa de dominar a conversa. Esse comportamento retira o foco do falante e volta a atenção para o ouvinte, o que é claramente uma violação da Regra de Ouro da Amizade, que será discutida no próximo capítulo. Usado corretamente, o gesto de assentir com a cabeça permite ao falante expressar completamente seus pensamentos de uma maneira satisfatória. Se usar esses movimentos adequadamente, você será percebido positivamente como um bom ouvinte.

DICAS VERBAIS

Dicas verbais reforçam o aceno de cabeça e encorajam o falante a continuar falando. Dicas verbais consistem em indicadores de confirmação de fala como "entendo" e "continue", junto a marcadores conversacionais como "hum" e "hum-hum". Dicas verbais mostram ao falante que você não apenas está ouvindo, mas validando sua mensagem com confirmações verbais.

ATENÇÃO FOCADA

Não deixe distrações interromperem sua atenção ao ouvir o falante. Você deve deixar claro que considera aquilo que ele diz importante. A mensagem não terá peso se você atender seu celular e pedir para o falante esperar. Se o celular tocar durante uma conversa, lute contra a vontade de atender. Por razões desconhecidas, a maioria das pessoas se sente compelida a atender um telefone que toca. Só porque seu celular está tocando não significa que você é obrigado a atender. Raramente uma chamada é urgente. Se não houver mensagem no final, então claramente esse é o caso. E, se deixarem uma mensagem, você pode ouvir, geralmente em questão de minutos, assim que a conversa terminar. Mesmo no mundo tecnológico de hoje, responder mensagens ou atender ao telefone durante uma conversa é considerado desrespeitoso.

O melhor jeito para lidar com um telefone que toca é tirá-lo do bolso, enviar a chamada para a caixa de mensagens, guardar o telefone e voltar a atenção para o falante. Essa ação envia uma mensagem dizendo que ele é mais importante do que um telefonema e possui sua total atenção. Além disso, você dará uma impressão positiva ao falante... facilitando qualquer relação.

SETE DICAS PARA AUMENTAR SUAS GORJETAS

Fazer as pessoas gostarem de você, mesmo num encontro único, pode ser benéfico. Você terá mais chances de ter uma reclamação atendida, de receber ajuda das pessoas, mesmo quando elas não têm obrigação disso, e - se você é um garçom ou garçonete - poderá predispor as pessoas a mostrarem seu agradecimento na forma de gorjetas maiores.

A chave para receber gorjetas maiores é criar um ambiente que predispõe os clientes a gostarem da pessoa que as serve.

Dica 1: Toque levemente os clientes (mulheres)
Pesquisas mostram que garçonetes que tocam clientes, sejam homens ou mulheres, levemente no ombro, mão ou braço, recebem gorjetas mais altas do que profissionais que não tocam os clientes. Homens, em particular, bebem mais álcool do que clientes que não foram tocados, criando mais oportunidades para gorjetas.

O toque, quando interpretado adequadamente, produz uma sensação de amizade e, portanto, predispõe a gorjetas mais generosas.

Mas um alerta: o toque pode ter um efeito negativo se for percebido como flerte ou ato dominador, e assim pode reduzir a gorjeta. Garçonetes devem ter cuidado ao tocar homens na companhia de suas companheiras, pois qualquer toque pode produzir ciúme.

Dica 2: Use algo no cabelo (mulheres)

Garçonetes que usam enfeite no cabelo como flores, reais ou não, presilhas ou outros objetos semelhantes recebem gorjetas maiores tanto de homens como de mulheres. Uma explicação para isso é que os clientes podem perceber as garçonetes como mais atraentes, o que os predispõe a darem gorjetas maiores. Curiosamente, a atração física não tem efeito nas gorjetas para garçons, seja de homens ou mulheres.

Agora vamos lidar com o elefante no meio da sala. Sim, as pesquisas mostram que garçonetes mais atraentes recebem gorjetas maiores do que garçonetes menos atraentes, independentemente do nível do serviço. Garçonetes com seios maiores recebem gorjetas maiores. Garçonetes loiras recebem gorjetas maiores. As gorjetas aumentam em relação inversa ao tamanho do corpo da garçonete. Garçonetes que usam maquiagem recebem gorjetas maiores de clientes homens, mas não de mulheres. Assim são as coisas. É a vida.

Dica 3: Apresente-se com seu nome (homens e mulheres)

Quando os garçons ou garçonetes se apresentam pelo nome, recebem gorjetas maiores. Uma apresentação pessoal os faz parecer mais amistosos. Os clientes dão gorjetas para aqueles que parecem amistosos e simpáticos. Garçons que se apresentam pelo nome recebem em média dois dólares a mais do que aqueles que não fazem isso. Mas apenas dizer seu nome não é suficiente. Sua apresentação deve ser acompanhada por um grande sorriso, pois isso o faz parecer amistoso e mais pessoal, predispondo assim os clientes a deixarem mais gorjetas.

Dica 4: Crie reciprocidade (homens e mulheres)

Quando as pessoas recebem algo de alguém, predispõem-se a retribuir. Clientes que recebem algo, mesmo itens pequenos, geralmente retribuem deixando gorjetas maiores. Os garçons podem criar reciprocidade com várias técnicas; até mesmo simplesmente escrever "obrigado" na parte de trás da conta pode produzir gorjetas maiores.

A reciprocidade pode também ser induzida de um jeito mais sutil. Um pouco antes do pedido do cliente ficar pronto, diga a um deles que a maneira como a comida foi preparada não estava à altura do seu padrão de exigência e você enviou de volta para o cozinheiro prepará-la corretamente. Depois, peça desculpas pela demora e, após alguns minutos, sirva a comida como foi preparada originalmente. Os clientes perceberão esse gesto como se você tivesse feito um favor. Embora isso não tenha acontecido realmente, eles ficarão predispostos a retribuir. Mas tome cuidado com essa técnica. Você deve selecionar imperfeições que não questionam a qualidade da comida nem afetam a credibilidade do restaurante. Reciprocidade também pode ser induzida oferecendo balas de hortelã junto com a conta.

Dica 5: Repita o pedido do cliente (homens e mulheres)
Pessoas gostam de pessoas que são parecidas com elas. Quando você repete o pedido, os clientes inconscientemente sentem que você é parecido com eles. Pessoas com boa conexão espelham os gestos e falas uns dos outros. Ao repetir o pedido, eles sentem semelhança e passam a gostar mais de você, aumentando sua probabilidade de receber uma gorjeta maior.

Dica 6: Faça um bom serviço (homens e mulheres)
No coração de uma boa gorjeta existe um bom serviço. Cumprimente os clientes com um sorriso amistoso, apresente-se com seu nome, repita o pedido do cliente, encha os copos vazios voluntariamente e verifique regularmente se o cliente precisa de alguma coisa. Cada cliente é diferente, e você deve aprender a ler os sinais rapidamente. Alguns clientes gostam de serem paparicados, alguns preferem um serviço mínimo, e outros apenas querem desfrutar a refeição sem ser incomodados. Quanto mais rápido você ler seu cliente, maior será sua gorjeta.

Dica 7: Aplique a Regra de Ouro da Amizade
A Regra de Ouro da Amizade (veja no Capítulo 3) se aplica a todas as dicas: "Faça os clientes se sentirem bem sobre si mesmos e eles gostarão de você". Quanto mais os clientes gostam de seus garçons, maiores serão suas gorjetas.

SINAIS INIMIGOS

Como você viu no começo do capítulo, vaga-lumes podem acender um sinal amistoso para atrair membros do sexo oposto ou um sinal inimigo para afastar possíveis predadores. O mesmo é verdade com cada um de nós. Temos a capacidade de transmitir sinais amigos ou inimigos para aqueles ao nosso redor. Obviamente, num livro sobre fazer amigos é de se esperar que o leitor esteja interessado em enviar sinais amigos e evitar sinais não verbais que encorajam outros a enxergá-lo como inimigo. O problema é que (como a estudante com a "carranca urbana" descobriu) nós nem sempre sabemos se estamos enviando sinais inimigos, geralmente porque não o percebemos. Quando o objetivo é fazer pessoas que você não conhece enxergarem você favoravelmente, seja para uma única interação ou para uma amizade duradoura, você deve usar as "táticas do vaga-lume" (sinais não verbais) para deixar suas intenções claras e predispor seu alvo a gostar de você. Portanto, sinais inimigos são sinais não verbais que você não deve enviar e não quer receber quando tenta interagir com estranhos.

O OLHAR PROLONGADO (ENCARADA)

Contato visual, junto a outros sinais amistosos, pode ter um impacto positivo, desde que o olhar não dure mais do que um segundo. Como já apontamos antes, um olhar que continua além de um segundo geralmente é percebido como agressão, o que transforma a comunicação não verbal num sinal inimigo. O cérebro humano percebe tal comportamento como predatório e envia uma alerta de "acionar os escudos" contra a pessoa que impõe esse contato visual.

OLHAR DE CIMA A BAIXO

Esse tipo de olhar analisa a pessoa dos pés à cabeça. Como um gesto não verbal, é altamente ofensivo em relações não estabelecidas. Essa forma de contato visual é percebida como invasiva porque a pessoa que olha ainda não conquistou o direito de adentrar o espaço pessoal, que pode ser violado tanto psicológica como fisicamente. Invadir o espaço pessoal com o olhar pode ser percebido como ofensivo, às vezes até mais ofensivo do que a invasão física. Em alguns casos, o comportamento também pode ser visto como ameaçador e/ou agressivo, causando uma resposta defensiva de quem está recebendo o olhar. Ao contrário, um olhar dos pés à cabeça será aceito ou até mesmo percebido como lisonjeiro numa relação próxima e estabelecida.

VARREDURA DE CORPO INTEIRO

Muito antes dos tolerados porém desagradáveis *scanners* de corpo inteiro se tornarem uma necessidade em aeroportos ao redor do mundo, as pessoas usavam os olhos para "escanear" pessoas de interesse. Eu rotineiramente usei a varredura de corpo inteiro quando o namorado da minha filha aparecia na porta de casa. Abria a porta, encarava profundamente seus olhos e lentamente "escaneava" seu corpo da cabeça aos pés. Terminava minha apresentação com um lacônico "O que você quer?". O rapaz tremia e gaguejava, e então eu sabia que minha mensagem havia sido recebida claramente. A mensagem não verbal era mais eficaz do que qualquer ameaça verbal que eu pudesse fazer.

DESCOBERTO

Durante minha carreira pós-FBI, treinei policiais à paisana em modos de se comportar durante as operações para não serem identificados. Os olhares são uma das dicas não verbais que expõem policiais disfarçados. Como já dissemos antes, as pessoas precisam ganhar o direito de entrar em seu espaço pessoal, seja fisicamente ou com os olhos. Policiais, por virtude de sua autoridade, possuem o direito de revistar lugares e olhar pessoas de um jeito que cidadãos comuns não podem. Você alguma vez já parou num sinal vermelho ao lado de um carro de polícia? Você acaba dando uma olhada no carro do policial. Se o policial vira a cabeça para encontrar seu olhar, você rapidamente desvia os olhos e volta a olhar para frente. Mas o oposto não é verdade. Se o policial olha para o seu carro e você o olha de volta, ele não desvia os olhos, apenas continua olhando. Provavelmente você é quem desviaria o olhar, rezando para ele não encontrar uma razão para pará-lo. O policial possui o direito de olhar para você e para seu carro em virtude da autoridade dele; você não pode fazer o mesmo sem arriscar repercussões sociais.

A liberdade para olhar em espaços proibidos é um dos sinais não verbais mais comuns que expõem policiais disfarçados. Por exemplo, um policial disfarçado recebe a missão de visitar um bar frequentado por traficantes para fazer amizade com eles e comprar drogas.

Quando entra no bar pela primeira vez, ele irá, por força do hábito, parar por um momento, fazer uma lenta varredura do local, buscando por possíveis ameaças, andar até o bar e pedir uma bebida. O policial à paisana se sente confortável invadindo o espaço dos outros com os olhos (fazendo contato visual direto) por causa de sua autoridade como oficial da lei. O problema é que pessoas normais não agem dessa maneira quando entram num bar pela primeira vez, principalmente num local perigoso. Elas geralmente andam direto para o bar ou mesa e se sentam sem fazer contato visual direto com ninguém. Uma vez sentadas e com uma bebida em mãos, elas então se permitem olhar furtivamente ao redor do bar. Por outro lado, pessoas que rotineiramente frequentam o bar adquiriram o direito de invadir o espaço pessoal e possuem permissão de olhar ao redor, buscando amigos quando entram. Esse sinal não verbal, embora sutil, é facilmente percebido por criminosos, que, para não serem apanhados, são adeptos da prática de ler as pessoas.

Revirando os olhos.

REVIRANDO OS OLHOS

Revirar os olhos para alguém é um "sinal inimigo" que desencoraja a interação. Isso envia a mensagem de que você pensa que o indivíduo é estúpido ou que suas ações são inapropriadas. Se, por exemplo, você está com um grande grupo e percebe alguém dizendo algo idiota, talvez revire os olhos em resposta. Se a pessoa que fez o comentário notar seu gesto, isso a predispõe a responder negativamente em futuras ocasiões. Isto é verdade, seja você um estranho ou um conhecido.

MONITORANDO O REVIRAR DOS OLHOS

Ficar atento ao revirar de olhos pode ser uma maneira interessante de passar o tempo e pode dar informações sobre como as pessoas pensam sobre determinados assuntos. Quando as pessoas não concordam com um comentário ou proposta, elas geralmente reviram os olhos quando a pessoa que fez o comentário não está olhando. Esse sinal não verbal identifica quem não está receptivo àquilo que está sendo discutido.

Se você fizer um comentário e perceber alguém revirando os olhos, concentre a atenção nessa pessoa e tente convencê-la de que sua ideia possui mérito. Lembre-se: você não precisa gastar tempo tentando convencer as pessoas que já concordam com você e que sinalizam isso acenando com a cabeça, inclinando para frente e sorrindo.

CERRANDO OS OLHOS

Esse sinal inimigo não é tão poderoso quanto outros, mas mesmo assim pode ter um efeito negativo em relações pessoais. Se os olhos se apertarem por causa de outros fatores como uma forte iluminação, isso pode ser interpretado da maneira errada.

Sobrancelhas franzidas.

SOBRANCELHAS FRANZIDAS

Este é outro sinal inimigo comum, assumindo que não seja causado por alguém se concentrando bastante. É geralmente associado a desaprovação, incerteza ou raiva.

TENSÃO FACIAL

Apertar os músculos da mandíbula, cerrar os olhos e franzir as sobrancelhas são um grupo de sinais não verbais inimigos que podem ser vistos a distância e servem como alerta que a pessoa pode representar uma ameaça. Exibir sinais inimigos dificulta qualquer comunicação significativa, principalmente em novas relações. Tensão facial pode ser facilmente mal interpretada, pois as pessoas geralmente carregam as tensões de seus empregos ou de sua casa para situações sociais, fazendo com que novos amigos, ou mesmo velhos amigos, notem e fiquem apreensivos desnecessariamente.

POSTURA AGRESSIVA

Uma postura aberta com as mãos na cintura é um sinal inimigo. A postura aberta baixa o centro de gravidade do corpo e é usada quando uma pessoa se preparara para uma luta. Mãos na cintura aumentam a envergadura da pessoa numa tentativa de exibir dominância.

SINAIS DE ATAQUE

Pessoas prestes a atacar telegrafam sinais não verbais como fechar os punhos e abrir a postura para mais estabilidade. Uma postura aberta baixa o centro de gravidade do corpo em preparação para a luta. As mãos na cintura aumentam a envergadura da pessoa numa tentativa de exibir dominância. Geralmente, uma pessoa com raiva "abre" as narinas numa tentativa de aumentar o influxo de ar. Também pode exibir outros sinais, como vermelhidão no rosto. Obviamente, esses sinais inimigos alertam o cérebro sobre potencial perigo, e preparam a pessoa que os recebe para uma reação "lutar ou fugir", o que dificilmente é um bom início de amizade.

Uma postura de ataque.

GESTOS DE INSULTO

Inúmeros gestos são ofensivos e contrários ao desenvolvimento de boas relações. Alguns são quase universalmente reconhecidos, por exemplo, o dedo do meio levantado. Dificilmente alguém querendo estabelecer uma interação positiva com outra pessoa transmitiria esse gesto. O problema é que certos gestos "inofensivos" (sem conotação negativa) numa cultura podem ser altamente ofensivos em outra. Assim como as mesmas palavras possuem diferentes significados em diferentes culturas, com as comunicações não verbais acontece o mesmo. Se notar alguém reagindo negativamente a você sem nenhuma razão "aparente", considere se algum gesto seu possa ter sido considerado ofensivo.

NARIZ FRANZIDO

A exemplo de outros sinais inimigos, um nariz franzido pode fazer as pessoas olharem para você negativamente, deixando-as menos propensas a qualquer aproximação.

Um nariz franzido.

ROUPAS, ACESSÓRIOS E OUTROS ITENS NO CORPO

O velho ditado "o chão de um homem é o teto de outro" se aplica para esse sinal inimigo (ou grupo de sinais) em particular. Por exemplo, se você está usando uma jaqueta de couro com desenho de caveira, possui várias tatuagens nos braços e usa um colar de espinhos, isso tudo pode sinalizar a alguém que não o conhece que você é uma pessoa a ser evitada a todo custo. Nesse sentido, sua aparência é um sinal inimigo. Por outro lado, se você estiver num show de *death metal*, a mesma roupa pode ser interpretada como um sinal amistoso digno de nota. Portanto, você precisa determinar, usando o senso comum, se a maneira como está vestido será percebida como sinal amistoso ou inimigo. Só porque uma pessoa está vestida de maneira diferente de você, não é garantia que sua aparência será automaticamente negativa, mas o ditado "pássaros de mesma plumagem voam juntos" deve ser considerado quando se trata de interações entre indivíduos com diferenças significativas na maneira como se vestem.

Meu filho, Bradley, sem querer me ensinou uma lição valiosa sobre avaliar as pessoas pelas roupas que usam. No colegial, ele passou por uma fase em que gastava todo o seu dinheiro em roupas de grife. Um dia, acompanhei Bradley no shopping para comprar uma carteira. Ele olhou para as carteiras mais caras numa loja chique e acabou comprando uma que custou 150 dólares. Fiquei chocado. Puxei minha velha carteira e o lembrei que ela custava não mais do que 20 dólares. "Não, pai", ele respondeu. "São os detalhes que fazem a diferença. Você pode usar roupas e sapatos caros, mas as pessoas vão notar que você é um enganador se puxar uma carteira velha de 20 dólares." Meu filho acabou superando aquela fase de sua vida e voltou a usar jeans gastos e camisetas, mas eu ainda carrego a lição que ele me ensinou.

Daquele dia em diante, passei a prestar mais atenção nos detalhes. Olho para a quantidade de costura nas camisas. Quanto mais costura, maior é a qualidade. Botões de quatro milímetros são usados em camisas de maior qualidade. Se um homem veste um terno caro e um relógio barato, ele está fingindo ser algo que não é. Sapatos sem lustre são outro sinal de um impostor. Pessoas preocupadas com sua aparência muitas vezes negligenciam os detalhes, expondo assim quem realmente são.

QUEM ERA AQUELE HOMEM MASCARADO?

Embora seja usada por pessoas com alguma condição médica, uma máscara facial, particularmente uma máscara "cirúrgica", que cobre a boca e o nariz, age como um sinal inimigo, mesmo quando essa não é a intenção.

Um indivíduo mascarado envia um sinal inimigo tão forte que uma pessoa que conheço usou esse artifício para aumentar o espaço ao seu redor nos trens lotados de Nova York. Seu *modus operandi* era ocupar o assento da janela quando o assento do corredor estivesse vago. Depois, quando alguém se aproximava do assento vazio, ele virava a cabeça para mostrar claramente a máscara. Muitas vezes o lugar permanecia vazio até que todos os outros assentos fossem ocupados.

E isso não era tudo. Se alguém escolhesse sentar-se ao seu lado, ele começava a se mexer inquieto e a resmungar. Geralmente isso era suficiente para afastar o recém-chegado. Se não funcionasse, ele colocava a mão no bolso, puxava um frasco de remédio e tomava uma pílula. Poucas pessoas conseguem aguentar essa experiência sem se levantar e ir embora.

Mas acontece que, às vezes, o feitiço vira contra o feiticeiro. Numa viagem em particular, o mascarado percebeu que um homem se aproximava, recostou-se no assento para ter certeza que o estranho visse a máscara cirúrgica, e então voltou a olhar para a janela. Um momento depois, ele percebeu o estranho sentando-se ao seu lado. Então ele usou a tática de se mexer inquietamente e murmurar. O estranho permaneceu no lugar. Finalmente, puxou seu frasco de remédio e tomou a pílula. A pessoa ao seu lado continuou imóvel.

O mascarado não podia acreditar que suas táticas tinham falhado. Ele virou a cabeça para ver que tipo de pessoa poderia permanecer parada num ambiente tão ameaçador. O que ele viu foi um passageiro que também estava usando uma máscara, se mexendo e com um frasco de remédio na mão! Isso foi tudo que ele precisou ver. Sem hesitar, levantou-se do assento e trocou de vagão.

INVASÃO TERRITORIAL (ESPAÇO PESSOAL)

Parece haver consistências definidas na maneira como os seres humanos cuidam do espaço ao seu redor, isto é, a maneira como regulam a distância entre eles e outras pessoas. O termo para essa regulação espacial é *territorialidade*, e o imperativo territorial é praticado por seres humanos, mas também por outros animais. O princípio básico da territorialidade é que muitas espécies desejam e tentam manter uma quantidade específica e uma *qualidade* de espaço para si mesmas. Se você não acredita que o imperativo territorial existe, embarque num ônibus ou metrô ocupado apenas por outro passageiro e sente-se ao seu lado. Em algumas ocasiões, as pessoas podem tolerar a invasão de seu espaço pessoal se ela ocorrer num encontro lado a lado, como num elevador lotado ou em eventos esportivos.

"Invadir" o território de outra pessoa – seja por contato visual ou proximidade física – é um poderoso sinal inimigo.

O propósito de usar sinais amistosos quando encontramos um estranho pela primeira vez é encorajá-lo a permitir que você entre em seu território sem que ele se sinta ameaçado ou cercado. Se uma pessoa julgá-lo amigável, então ficará mais disposta a permitir que você entre em seu espaço pessoal.

Limites territoriais são, obviamente, invisíveis e podem variar de pessoa para pessoa, e de cultura para cultura. Por exemplo, uma pessoa que foi fisicamente abusada geralmente possui um espaço pessoal maior, para se proteger de qualquer um que represente uma ameaça física. Da mesma forma, um indivíduo marcado por um trauma emocional pode ser muito cuidadoso com quem permite em seu espaço pessoal, por medo de ser magoado novamente. Em casos extremos, pessoas abusadas física e/ou emocionalmente erguem muros intransponíveis o seu redor, numa tentativa de se proteger contra mais dor física ou psicológica.

Limites territoriais também variam de acordo com o lugar em que as pessoas vivem. Em sociedades nas quais elas vivem em lugares apertados, estabelecem limites pessoais menores por necessidade. Por outro lado, pessoas acostumadas com grandes espaços criam limites pessoais maiores. A saúde mental também pode afetar o espaço pessoal. Ted Kaczynski, o terrorista Unabomber, vivia numa cabana isolada em Montana. Ele considerava qualquer pessoa dentro de um raio de meio quilômetro de sua cabana como ameaça, e se preparava para se defender contra qualquer um que invadisse seu espaço.

Uma vez que as pessoas possuem variações tão grandes sobre o que consideram "seu" espaço territorial, é importante que você considere isso quando tentar fazer amizade com alguém que não conhece. Após enviar sinais amistosos e receber o mesmo tipo de sinal, aproxime-se cuidadosamente e observe a linguagem corporal. Se o indivíduo mostrar sinais de estresse ou reações negativas, como se afastar ou exibir expressões faciais de desaprovação, pare seu progresso e não se aproxime mais até que ele dê sinais verbais ou não verbais de que está pronto para interagir.

As pessoas tendem a ser lentas ao ceder espaço territorial, principalmente quando se trata de vagas para estacionar. Quando você anda em círculos numa garagem lotada, procurando por uma vaga, e finalmente encontra alguém se preparando para sair, imediatamente ativa o pisca-alerta para marcar o território. Você efetivamente está dizendo aos outros motoristas para se afastarem porque a vaga é sua. Então, a espera começa. O motorista que está prestes a deixar o espaço demora na preparação de ajustar o assento, o espelho etc. Você se pergunta: "Por que ele está demorando tanto?". A resposta é que ele é o rei daquele domínio e não irá ceder até se sentir pronto. Curiosamente, as pessoas deixam a vaga mais rápido se ninguém está esperando.

VISÃO DOGMÁTICA DOS SINAIS INIMIGOS TERRITORIAIS

Bichos de estimação, principalmente cachorros, nos dão exemplos interessantes do comportamento territorial. Por exemplo, duas pessoas entram na casa de um amigo pela primeira vez. Uma delas é um ávido amante de cachorros e o outro odeia cachorros. Aquele que gosta imediatamente foca sua atenção sobre o cachorro, olhando diretamente em seus olhos, e se abaixa para fazer carinho. Para sua surpresa, o cão começa a rosnar e mostrar os dentes. Por outro lado, a pessoa que não gosta de cachorro limita seu contato físico e visual. Para seu desgosto, o animal se aproxima, o cheira e ansiosamente busca sua atenção.

A reação do cachorro aos dois estranhos parece contraditória, mas quando analisada sob a perspectiva territorial faz perfeito sentido. A pessoa que gosta de cachorro violou o espaço físico do animal ao se aproximar e piorou a situação olhando diretamente em seus olhos. Tanto cães quanto seres humanos percebem a encarada como um gesto ameaçador. O cachorro enxergou a presença da pessoa como uma ameaça em potencial; portanto, respondeu com um comportamento agressivo para proteger seu território. Com a familiaridade, essa pessoa eventualmente poderá ser aceita pelo cão. Por outro lado, a pessoa que não gosta de cachorro ignorou o animal e consequentemente não representou ameaça. Sem uma ameaça real ou percebida, o cachorro se sentiu intrigado pelo estranho. Num esforço de satisfazer sua curiosidade natural (a mesma "isca" que fez Vladimir conversar comigo e deixou o Gaivota interessado em Charles, o agente do FBI), aproximou-se da pessoa que não gostava dele.

ANTES DE COMEÇAR A ANDAR, DEIXE QUE OS PÉS DO OUTRO CUIDEM DA CONVERSA

Certo, agora você está ciente dos sinais amistosos e inimigos e sabe quais deve exibir e procurar quando encontra um estranho que deseja abordar ou evitar – talvez até tenha praticado sinais não verbais na frente do espelho. Mas ainda existe uma coisa para considerar antes de começar a *falar* com alguém, e isso tem a ver com situações em que seu alvo já está interagindo com outras pessoas. Como você pode interromper e começar uma conversa? *Quando* você deve interromper e começar a falar?

Haverá ocasiões em que você não será capaz de responder a essas perguntas. Por exemplo, em reuniões de negócios ou eventos sociais, quando as pessoas se sentam à mesa ou andam por um salão, interagir dentro de conversas já existentes pode ser difícil. Entretanto, se duas ou mais pessoas interagem socialmente, então você pode usar o *comportamento dos pés* para ajudar a determinar o momento certo para abordar um grupo, ou decidir que é melhor esperar antes de tentar fazer contato. Isso acontece porque a observação da posição dos pés oferece dicas sobre qual grupo irá aceitá-lo como novo membro e qual estará relutante.

Membros de um grupo grande que formam um semicírculo com os pés apontando para o lado aberto do círculo estão sinalizando sua disposição em aceitar novos membros. Membros de um grande grupo que formam um círculo fechado sinalizam que não estão receptivos à adição de novos indivíduos.

Se você enxergar duas pessoas se encarando – cada uma com os pés voltados para a outra – elas estão enviando a mensagem de que a conversa é privada. Fique longe. Elas não querem pessoas de fora interrompendo. Por outro lado, se duas pessoas estão se encarando com os pés virados para os lados, isso deixa uma "abertura" e envia a mensagem de que estão dispostas a admitir um novo integrante em seu grupo.

Pés telegrafando uma conversa privada.

Pés virados para o lado convidam outras pessoas a se juntar à conversa.

Quando três pessoas estão se encarando e seus pés apontam para dentro, formando um círculo fechado, elas estão comunicando não verbalmente uma indisposição para aceitar novos membros.

Por outro lado, quando três pessoas estão se encarando e formam um círculo mais aberto, abrindo assim um espaço, estão sinalizando a disposição em receber outros membros em seu grupo.

Uma conversa fechada.

Os membros deste grupo posicionam os pés numa postura aberta, o que envia a mensagem de que estão dispostos a admitir mais alguém em seu grupo.

Sua missão é identificar os grupos que estão abertos a novos membros e fazer sua abordagem. Aproxime-se decididamente e envie sinais amistosos antes ou durante a aproximação. Lembre-se de que nosso cérebro constantemente varre o ambiente em busca de sinais amistosos ou inimigos. Se você exibir um sinal inimigo, as pessoas no grupo irão se defender contra uma possível ameaça e serão hostis à sua intrusão. Se o enxergarem exibindo sobrancelhas levantadas, inclinações da cabeça e um sorriso, elas interpretarão esses sinais amistosos como positivos e ficarão mais propensas a aceitá-lo em seu grupo.

Quando você alcançar o grupo escolhido, assuma o lugar vazio com confiança. Pessoas confiantes são vistas mais positivamente do que pessoas inseguras. Mesmo que você não se sinta confiante, finja o melhor que puder. Mas lembre-se que existe uma fronteira muito fina entre confiança e arrogância. Não cruze essa fronteira!

Quando ocupar o lugar vazio, ouça a conversa e espere uma pausa antes de dizer qualquer coisa. Enquanto estiver escutando, você deve assentir levemente com a cabeça. O ato de assentir envia um sinal de aprovação e interesse naquilo que os outros indivíduos estão falando, e também envia a mensagem de que você está confiante, não arrogante. Pessoas arrogantes geralmente não são bons ouvintes. O grupo pode estar disposto a aceitar novos membros, mas ninguém gosta de um recém-chegado que interrompe rudemente uma conversa. Quando uma pausa natural ocorrer, será a sua chance de se apresentar ou acrescentar algo ao assunto.

Tente encontrar algo em comum com os outros membros do grupo. Encontrar interesses semelhantes é a maneira mais rápida para desenvolver uma conexão e incrementar o processo de amizade. Técnicas para rapidamente construir uma conexão serão discutidas mais tarde. Se estiver em alguma conferência de negócios, você possuirá instantaneamente pontos em comum, já que todos no evento compartilham o mesmo interesse, ou não estariam ali.

Se encontrar algo em comum não for fácil, apele para a música. Quase todo mundo gosta de música. Mesmo se não gostarem do mesmo tipo de música, as diferenças e semelhanças entre gêneros musicais podem desencadear conversas animadas. Mas você não deve discutir assuntos que possuem potencial para criar emoções fortes e conflitos, já que isso pode dividir as pessoas e dificultar a amizade.

Quando você encontrar novamente essas pessoas mais tarde no evento, não se esqueça de chamá-las pelo nome. Elas gostarão muito disso. O quanto? Nas palavras de Dale Carnegie: "Lembre-se de que o nome de uma pessoa é para ela o som mais bonito e importante em qualquer língua". As pessoas gostam de ser lembradas. Lembrar seu nome lhes dá valor e reconhecimento, mostrando que você se importa. Coisas lembradas são coisas queridas.

PONTES CONVERSACIONAIS

Quando encontrar quem conheceu mais cedo, você pode empregar uma *ponte conversacional*. Isso consiste em usar porções de uma conversa anterior. Essas pontes podem ser comentários, piadas, gestos ou outros detalhes característicos à conversa anterior. Usar uma ponte conversacional envia a sutil mensagem de que você não é um recém-chegado ao círculo de amigos da pessoa. Você agora é uma pessoa familiar, com interesses em comum. Pontes conversacionais também permitem apanhar o processo de construção da amizade de onde parou no final da última conversa. Isso, por sua vez, permite avançar sem precisar começar do zero.

DICAS DE COMPORTAMENTO DOS PÉS QUANDO UMA PESSOA ESTÁ SOZINHA

Se você encontrar uma pessoa sozinha e seus pés estiverem voltados para a saída, existe uma boa chance de que ela esteja pensando em ir embora. Isso lhe dará uma abertura para abordar essa pessoa. Envie sinais amistosos ao se aproximar e então faça uma declaração empática (que será discutida no próximo capítulo) como "Oh, vejo que você está pronto para ir embora" ou "Oh, você está achando a festa chata". Você pode usar uma afirmação dessas porque está apenas descrevendo a postura física observada, o que reflete os sentimentos do indivíduo. Ou pode se aproximar e simplesmente dizer "Oh, vejo que você está sozinho hoje. O que você acha deste lugar (ou evento)?". Com sorte, a pessoa irá responder à sua pergunta, e você poderá usar essa resposta para continuar a conversa e ver como as coisas progridem.

DE VAGA-LUME A AMIGO: O PRÓXIMO PASSO

Fazer um amigo ou inimigo começa no primeiro momento do contato, geralmente visual, e segue em frente a partir daí. Este capítulo se concentrou quase exclusivamente nos sinais não verbais que enviamos aos outros e no impacto que possuem nas relações pessoais. Uma vez que as pessoas geralmente nos veem antes de nos ouvir, nossos sinais não verbais são como o "trailer" de um filme, dando ao espectador um conhecimento prévio daquilo que pode esperar da atração principal e ajudando-os a decidir se vale a pena aceitar ou não nossa amizade.

NÃO SE GABE DESSA ATENÇÃO!

Se você usar seus sinais amistosos de um jeito eficaz, conseguirá preparar o terreno para uma interação bem-sucedida. Ganhar a atenção de uma pessoa e, ao mesmo tempo, encorajá-la a enxergá-lo positivamente é um primeiro passo crucial para se fazer um amigo, mas você precisa ter cuidado para não se gabar dessa atenção. Enviar sinais amistosos (ou inimigos) requer prática. Inconscientemente, as pessoas são muito boas em transmitir essas comunicações não verbais. Entretanto, agora que leu sobre esses sinais e está ciente deles, você começará a notar outras pessoas os enviando e recebendo e, de tempos em tempos, perceberá a si mesmo sinalizando aos outros.

Para imitar *conscientemente* os mesmos sinais que você envia *inconscientemente* com facilidade e autenticidade, você deve superar o *efeito passarela*. Esse efeito acontece quando você faz algo discretamente e, por estar fazendo um esforço consciente para influenciar o comportamento de uma pessoa, você começa a achar que todos estão percebendo o que você está tentando fazer. Isso, por sua vez, dificulta fazer seu comportamento parecer natural e apropriado, resultando numa incapacidade de desempenhar suas ações convincentemente. O resultado: elas não serão críveis.

Um exemplo envolve alguém que mente. O mentiroso pensa que seu interlocutor pode perceber a mentira, mesmo quando ele está totalmente alheio ao embuste. Isso, por sua vez, faz com que o mentiroso apresente dicas verbais e não verbais que acabam indicando sua mentira, permitindo ao interlocutor detectar a intenção ou, no mínimo, se tornar desconfiado.

A mesma coisa acontece quando você tenta pela primeira vez simular sinais amistosos conscientemente. Você passou a vida inteira fazendo isso; porém, nas primeiras vezes em que abordar as pessoas e conscientemente tentar inclinar a cabeça e exibir movimentos da sobrancelha, pensará que elas sabem que você é socialmente desajeitado. O efeito passarela acabará dominando-o. Isso o faz "forçar" o comportamento — suas inclinações de cabeça e movimento das sobrancelhas se tornam estranhos —, e então suas intenções são reveladas, deixando você como vítima de sua própria profecia... E com uma tentativa fracassada de fazer amizade. Para evitar o efeito passarela, primeiro é preciso saber de sua existência.

Agora você sabe.

OS DOIS PASSOS NÃO VERBAIS

Durante minha carreira no FBI, participei de muitas conferências e festas. Em certa ocasião, fui a uma festa de boas-vindas numa pré-conferência com um colega do Programa de Análise Comportamental. A festa se tornou chata, então meu amigo e eu começamos a nos entreter jogando o jogo dos "passos não verbais".

O jogo funcionava assim: cada um escolhia uma pessoa que estava a uma distância igual da porta. O objetivo do jogo era ver quem conseguiria fazer a pessoa selecionada cruzar o batente da porta sem perceber o que estava fazendo. Nós inicialmente abordamos nossos alvos com uma conversa casual numa distância física aceitável. Sabendo que as pessoas inconscientemente tentam manter uma distância confortável de seu interlocutor, dávamos passos imperceptíveis nos aproximando dos alvos. Quando essa distância diminuía, eles inconscientemente davam um passo para trás para manter seu espaço pessoal. Repetíamos essa manobra até os alvos cruzarem o batente. Quem conseguisse isso primeiro era o vencedor. Numa das vezes, fiz meu alvo andar até o saguão do hotel sem ele perceber. Quando se deu conta de onde estava, ele exclamou: "Nossa! Como viemos parar aqui?". Eu apenas sorri e encolhi os ombros.

O primeiro passo para simular com sucesso sinais amistosos (ou inimigos) é observar como as outras pessoas naturalmente exibem esses sinais, e também monitorar os seus próprios. Quando você simula um sinal amistoso, tente duplicar a mesma sensação que sente quando percebe que está automaticamente enviando essas comunicações não verbais.

Uma boa oportunidade para afiar essas habilidades é quando você anda pela rua, shoppings ou outros locais públicos. Quando uma pessoa se aproxima, incline a cabeça, faça contato visual e sorria. Observe a reação da pessoa. Se o indivíduo retribuir com um movimento da sobrancelha junto com um sorriso, você transmitiu com sucesso o sinal amistoso. Se ele fizer uma expressão estranha do tipo "fique longe de mim", você pode ter escolhido uma pessoa mal-humorada ou precisa de mais prática. Com o tempo, você deve enxergar uma melhora em como os outros respondem a seus sinais amistosos. Além disso, com a prática, você não terá que pensar sobre enviar os sinais; eles se tornarão automáticos.

Conquistar novas habilidades, ou fazer velhas habilidades parecerem autênticas, exige muita prática. Enquanto estiver trabalhando para aperfeiçoar os sinais, você pode ficar desencorajado e acabar desistindo por várias razões, incluindo constrangimento, falta de domínio imediato das novas habilidades ou frustração. Isso é normal. Ao estudar como as pessoas adquirem novas habilidades, cientistas descobriram que muitos novatos experimentam um período de "queda livre" logo no início do aprendizado. Durante esse tempo, eles não se sentem confortáveis usando as novas habilidades e se tornam frustrados ou constrangidos quando elas não funcionam como deveriam. Ao invés de continuarem praticando, eles desistem.

Não seja uma dessas pessoas! Seja perseverante durante essa fase da queda livre e confie que você *irá* dominar as habilidades com o tempo e esforço. A frustração e o desconforto durante o processo de adquirir novas habilidades valerão o esforço, pois você será recompensado com resultados melhores ao conquistar relações de sucesso.

Isso é um bom motivo para tornar seu sorriso fácil, conscientemente ou não!

ERRAR É HUMANO... E TAMBÉM TORNA ESTE HUMANO MAIS SIMPÁTICO

No começo de minhas palestras, intencionalmente cometo vários erros que não danificam minha credibilidade, como pronunciar ou escrever errado uma palavra. Os participantes imediatamente corrigem meus pequenos erros. Mostrando-me constrangido, eu graciosamente aceito a correção e parabenizo os participantes por estarem atentos.

Essa técnica atinge vários objetivos. Primeiro, as pessoas que fazem as correções sentem-se bem consigo mesmas, o que cria conexão e amizade. Segundo, os participantes se tornam mais propensos a participar espontaneamente sem medo de parecer estúpidos na frente do instrutor. Eles pensam: tudo bem cometer erros, já que o próprio instrutor já cometeu vários. Terceiro, pequenos erros me fazem parecer humano. As pessoas gostam de palestrantes que são especialistas em seus assuntos, mas ao mesmo tempo possuem qualidades humanas semelhantes à plateia (a Lei da Semelhança será discutida no Capítulo 5).

OBSERVE E APRENDA

Digitar numa tela de celular usando fones de ouvido impede que você envie ou receba sinais de amizade. Além disso, a falta de interação pessoal reduz a oportunidade para você afiar suas habilidades sociais ou aprender observando os outros.

Não é preciso muito esforço para aprender com os outros. Tudo que você precisa fazer é ir a um restaurante e observar ao redor. As pessoas se sentem confortáveis se comunicando quando estão comendo ou bebendo. Veja se você consegue determinar a condição ou intensidade das relações observando os sinais não verbais dos casais.

RELAÇÕES AMOROSAS

Quando duas pessoas entram num restaurante, é possível perceber se elas são um casal ou não observando seu comportamento não verbal. Segurar as mãos é um sinal de interesse romântico. Casais que seguram as mãos sem entrelaçar os dedos indicam uma relação menos íntima do que aqueles que entrelaçam. A seguinte sequência de ações geralmente acontece após o casal se sentar à mesa: 1) o cardápio ou cesta de condimentos é colocado de lado; 2) o casal troca movimentos de sobrancelha; 3) o casal olha um para o outro por mais tempo do que olhariam para estranhos; 4) eles sorriem; 5) inclinam a cabeça para um dos lados; 6) inclinam-se na direção um do outro; 7) espelham a postura um do outro; 8) dão as mãos; 9) usam livremente gestos quando se comunicam; 10) sussurram, ou baixam o tom de voz, para sinalizar aos outros que a conversa é privada; 11) compartilham comida. Esta sequência de atividades pode não acontecer nessa exata ordem ou pode ser interrompida por um garçom, mas você observará algumas ou todos esses sinais não verbais em algum momento durante o jantar.

RELAÇÕES DANIFICADAS

Relações que passam por dificuldades se tornarão óbvias, pois as dicas não verbais comuns em boas relações não estarão presentes. Por exemplo, o casal não irá olhar um para o outro. Os sorrisos serão forçados. Os dois frequentemente olharão para o prato enquanto falam. As cabeças permanecerão eretas, não inclinadas. Os olhos estarão buscando estímulos ao redor no restaurante. Eles não espelharão a postura um do outro e não se inclinarão; de fato, geralmente estarão inclinados para trás, distantes entre si.

RELAÇÕES INTERROMPIDAS

Uma sequência não verbal que indica o interesse de apenas um dos membros do casal não é difícil de enxergar. A pessoa interessada exibe todos os sinais não verbais presentes numa relação amorosa descritos previamente; entretanto, a outra pessoa exibe sinais não verbais negativos (inimigos).

O rapaz está exibindo sinais não verbais indicando interesse, ao contrário da garota.

CONFORTO DISCRETO

Casais que passaram muitos anos juntos geralmente exibem sinais não verbais que sinalizam uma relação boa ou danificada, mas esse nem sempre é o caso. Pessoas que passaram muito tempo na companhia um do outro possuem confiança de que ambos estão comprometidos com a relação. Não precisam de constantes reafirmações. Elas se sentem relaxadas e confortáveis na companhia um do outro sem medo de traições ou abandonos. Observar casais interagindo quando atingem esse estágio na relação é uma maravilha de se ver.

Essas mesmas avaliações observacionais podem ser feitas por empresários fechando negócios, pessoas tentando conquistar outras ou apenas amigos saindo para uma refeição casual. O objetivo de observar pessoas é afiar seu poder de observação, permitindo que você se torne mais ciente de como elas naturalmente interagem, e melhorando sua habilidade de interpretar aquilo que vê. Se praticar bastante, suas observações e habilidades ao avaliar o comportamento humano se tornarão automáticas, transformando-o assim num comunicador mais eficaz.

3
A REGRA DE OURO DA AMIZADE

> *Você pode fazer mais amigos em dois meses, ao se tornar genuinamente interessado nas outras pessoas, do que poderia em dois anos tentando fazer outras pessoas se interessarem por você.*
> — DALE CARNEGIE

Os sinais amistosos não verbais que você aprendeu no capítulo anterior são projetados para preparar o terreno para o começo de uma relação positiva com outra pessoa. Eles funcionam como um comediante cujo primeiro ato é planejado para deixar a plateia com o estado de espírito certo antes da atração principal. Usados corretamente, esses sinais deixarão seu alvo mais receptivo, caso você escolha se aproximar. Então vamos assumir que você *quer* fazer contato com alguém. E agora? Você alcançou a "hora da verdade" com essa pessoa.

FAZENDO A SUA "HORA DA VERDADE" UM SUCESSO

Muitos anos atrás, um empresário chamado Jan Carlzon foi nomeado CEO de uma companhia aérea europeia que passava por dificuldades, a Scandinavian Airlines System (SAS), e recebeu a formidável tarefa de torná-la rentável. Ele conquistou esse objetivo com tanta rapidez que seu feito se tornou objeto de vários estudos.

Como ele conquistou tanto sucesso? Dando aos funcionários o poder para resolver os problemas dos clientes na mesma hora, sem precisar checar com um superior. Isso melhorou muito a satisfação dos clientes, o moral dos empregados e o lucro da empresa... Uma situação onde todos saíam ganhando.

O interessante sobre a filosofia e a estratégia de negócios de Carlzon relatadas em seu livro é a importância que ele colocou no ponto de contato entre dois indivíduos. De fato, ele chamou isso de a "hora da verdade", pois eram esses momentos que formavam a opinião dos clientes sobre a empresa e ajudavam a determinar se eles comprariam os serviços da SAS. Carlzon observou: "No ano passado cada um dos nossos dez milhões de clientes entrou em contato com aproximadamente cinco funcionários da SAS. Essas cinquenta milhões de 'horas da verdade' são os momentos que, em última instância, determinam se a SAS terá sucesso ou fracasso como empresa. São os momentos em que temos que provar para nossos clientes que somos sua melhor alternativa".

Quando você encontra uma pessoa pela primeira vez, esse encontro se torna um momento da verdade sobre como a relação irá se desenvolver. Essa pessoa irá tratar você como amigo ou irá afastá-lo como inimigo? A Regra de Ouro da Amizade – *se você quiser que as pessoas gostem de você, faça com que elas se sintam bem consigo mesmas* – pode ser um fator crucial para determinar em que lado você será colocado.

Diferente de algumas das técnicas que serão apresentadas mais tarde, que apenas se tornam relevantes quando você está buscando relações de longo prazo, a Regra de Ouro da Amizade serve como chave para todas as relações de sucesso, sejam de curta, média ou longa duração.

Não subestime o poder e a importância dessa regra ao fazer amigos. Como agente especial do FBI, eu era destacado para encontrar indivíduos em todos os estágios da vida, e precisava convencê-los a entregar informações sensíveis, a se tornarem espiões ou confessar uma variedade de crimes. A chave para o sucesso dessas tarefas era minha habilidade em fazer esses indivíduos não apenas gostarem de mim, mas também confiarem em mim e, em muitos casos, confiarem sua vida a mim. A tarefa mais difícil para novos agentes especiais é desenvolver essa habilidade vital. Agentes frequentemente me pediam para lhes ensinar as técnicas para fazer as pessoas gostarem deles instantaneamente. E eu dava sempre a mesma instrução: *se você quer que as pessoas gostem de você, faça com que elas se sintam bem consigo mesmas.* Você deve focar a atenção na pessoa com quem está fazendo amizade. Parece fácil, mas exige prática mesmo com agentes treinados. Se você fizer alguém se sentir bem consigo mesmo, irá receber o crédito por ajudá-lo a ter essa experiência. As pessoas gravitam ao redor de indivíduos que as fazem se sentir felizes, e tendem a evitar pessoas que trazem dor ou desconforto.

Se todas as vezes que encontrar uma pessoa você a fizer se sentir bem, ela tentará aproveitar qualquer oportunidade para se encontrar com você e experimentar essas boas sensações. A dificuldade que muitos dos meus colegas encontram é a mesma que todos nós encontramos: nosso próprio ego. O ego interfere na prática da Regra de Ouro da Amizade. A maioria das pessoas acha que o mundo gira em torno delas, e que elas devem ser o centro das atenções. Mas, se quer parecer amistoso e atrair os outros, você deve esquecer seu ego e prestar atenção em seu interlocutor, em suas necessidades e circunstâncias particulares. Os outros gostarão de você quando sentirem que você os coloca no centro das atenções.

Pense nisso: é uma pena que raramente usemos essa poderosa regra para nos tornar mais atraentes para os outros e ao mesmo tempo fazer com que esses indivíduos se sintam bem sobre si mesmos. Ficamos ocupados demais focando em nós mesmos e não na pessoa com quem nos encontramos. Colocamos nossos desejos e necessidades em primeiro lugar. A ironia de tudo isso é que os outros estarão ansiosos para saciar suas necessidades e desejos se gostarem de você.

TÉCNICAS PARA FAZER AS PESSOAS SE SENTIREM BEM CONSIGO MESMAS: DECLARAÇÕES EMPÁTICAS

Declarações empáticas mantêm o foco da conversa na pessoa com quem você está falando. Essas declarações são uma das mais eficazes maneiras para fazer com que os outros se sintam bem consigo mesmos. Manter o foco no outro é difícil porque somos, por natureza, egocêntricos e pensamos que o mundo gira ao nosso redor. No entanto, se a cada vez que você falar com alguém essa pessoa se sentir bem sobre si mesma, então você terá alcançado o objetivo da Regra de Ouro da Amizade, e como resultado os outros irão gostar de você.

Declarações empáticas como "Parece que você está tendo um dia ruim" ou "Você parece feliz hoje" deixam as pessoas saberem que alguém está ouvindo e se preocupa com seu bem-estar. Esse tipo de atenção nos faz sentir bem sobre nós mesmos e, mais importante, nos predispõe a gostar de quem nos deu atenção.

Declarações empáticas também fecham o ciclo do discurso. Quando uma pessoa diz algo, ela quer alguma resposta para saber se a mensagem foi recebida e entendida. Espelhar o que uma pessoa diz usando linguagem paralela fecha o círculo da comunicação. As pessoas se sentem bem quando comunicam uma mensagem com sucesso.

Formular declarações empáticas exige que você ouça cuidadosamente quem fala. Ouvir com atenção demonstra que você realmente está interessado na outra pessoa e entende o que ela está dizendo.

A fórmula básica para formular declarações empáticas é "então você...". Existem muitas maneiras para formar declarações empáticas, mas essa fórmula básica mantém o foco da conversa no outro. Simples declarações empáticas podem incluir "Então você gosta do jeito como as coisas estão acontecendo hoje?" ou "Então você está tendo um bom dia?". Nós naturalmente temos a tendência de dizer algo como "Entendo como você se sente". Mas então o interlocutor pensa automaticamente, *não, você não sabe como eu me sinto porque eu não sou você*. A fórmula básica "então você..." garante que o foco da conversa permaneça no outro. Por exemplo, você entra num elevador e vê alguém que está sorrindo e parece feliz. Você pode naturalmente dizer: "Então, as coisas estão acontecendo do jeito que você queria hoje", além de espelhar com os sinais amistosos não verbais.

Quando usar declarações empáticas para alcançar o objetivo da Regra de Ouro da Amizade, evite repetir palavra por palavra o que a pessoa disse. Uma vez que as pessoas raramente fazem isso; quando a repetição ocorre ela é processada pelo cérebro do ouvinte como um comportamento anormal e causa uma reação de defesa. Esse é o efeito contrário daquilo que você está tentando alcançar ao usar declarações empáticas. Papagaiar a fala de outra pessoa pode também soar condescendente e desdenhoso. Não faça isso!

Declarações empáticas mantêm o foco da conversa no outro e o fazem se sentir bem. É uma técnica simples, mas eficaz, que fará as pessoas procurarem você para fazer amizade, pois sempre que conversarem você as fará se sentir bem consigo mesmas. E, melhor de tudo, elas não saberão que você está usando essa técnica, pois naturalmente pensarão que merecem sua atenção e não enxergarão suas ações como fora do comum.

A AVENTURA DE DECLARAÇÕES EMPÁTICAS DE BEN E VICKI

Vamos observar como uma conversa pode funcionar usando as técnicas discutidas até agora. Usando sinais amistosos, Ben envia um convite não verbal para Vicki, que está perto do bar com vários amigos. Vicki aceita não verbalmente o convite. Quando Ben se aproxima de Vicki, ele percebe que ela está sorrindo e rindo com os amigos.

Ben: Oi, meu nome é Ben. Qual é o seu nome?
Vicki: Oi, meu nome é Vicki.
Ben: Então, parece que você está se divertindo hoje. (declaração empática básica)
Vicki: Com certeza. Eu realmente precisava sair um pouco.

Uma vez que você dominar a construção das declarações empáticas usando a fórmula básica, pode formular declarações mais sofisticadas deixando de usar o "então você...". Vamos voltar para a conversa entre Ben e Vicki usando declarações empáticas sofisticadas ao invés da fórmula básica.

Ben: Oi, meu nome é Ben. Qual é o seu nome?
Vicki: Oi, meu nome é Vicki.
Ben: Parece que você está se divertindo hoje. (declaração empática básica)
Vicki: Com certeza. Eu realmente precisava sair um pouco.
Ben: Então você esteve trabalhando muito, ultimamente. (declaração empática sofisticada)
Vicki: Sim, trabalhei sessenta horas por semana nas últimas três semanas preparando um projeto.

Nas duas abordagens, Ben reconheceu que Vicki estava sorrindo e rindo, dois sinais físicos que mostravam que ela estava se divertindo, e construiu uma declaração empática que refletia seu estado emocional. Ben conseguiu várias coisas. Primeiro, comunicou para Vicki que ficou interessado em seus sentimentos. Segundo, concentrou a conversa nela. Terceiro, a resposta de Vicki permitiu a ele saber para qual direção levar a conversa. Sua resposta "Com certeza. Eu realmente precisava sair um pouco" indicou que Vicki estava sentindo algum tipo de estresse durante a semana ou no passado recente. Ben não sabe o que causou o estresse, mas pôde formular outra declaração empática para explorar as razões do estresse de uma maneira não invasiva. Ao fazer isso, ele mantém o foco da conversa sobre Vicki e a deixa saber que continua interessado em seus sentimentos. Ela não irá reconhecer que Ben está usando uma série de declarações empáticas, pois esse tipo de comportamento é percebido pelo cérebro como "comportamento normal" e não levanta suspeita ou reação defensiva. Além disso, Vicki inconscientemente pensa que ela deve ser o centro das atenções (todos nós pensamos!) e está encantada por Ben dar a ela atenção total. Isso a faz se sentir bem e aumenta a probabilidade de que ela goste de Ben, de acordo com a Regra de Ouro da Amizade.

USANDO DECLARAÇÕES EMPÁTICAS PARA MANTER A CONVERSA

Declarações empáticas também servem como um eficaz recheio da conversa. O silêncio constrangedor que aparece quando a outra pessoa para de falar e você não consegue pensar em nada é devastador. Quando você fica com dificuldades para encontrar algo para dizer, use uma declaração empática. Tudo de que precisa se lembrar é a última coisa que o outro disse, e então formular uma declaração baseada nessa informação. O falante continuará a conversa, dando tempo para que você pense em algo mais significativo. É muito melhor usar uma série de declarações empáticas quando você não tem nada a dizer do que dizer algo inapropriado. Lembre-se: o ouvinte não irá perceber que você está usando declarações empáticas, pois elas serão processadas como "normais" pelo cérebro e passarão despercebidas.

ELOGIOS/ADULAÇÃO

Uma linha tênue separa elogios de adulação. A palavra *adulação* possui uma conotação negativa. Adulação é geralmente associada a elogios falsos usados para explorar e manipular os outros por razões egoístas. O propósito do elogio é enaltecer os outros e reconhecer suas realizações. Com o desenvolvimento da relação, os elogios ganham um papel importante para a conexão de dois indivíduos, pois sinalizam que o outro ainda está interessado em sua pessoa e naquilo que você sabe fazer bem.

Um dos perigos de usar elogios em relações incipientes é você não conhecer a pessoa bem o bastante para ser sincero. Elogio falso e adulação são a mesma coisa e geram má impressão. Afinal de contas, ninguém gosta de sentir que está sendo manipulado ou enganado. As pessoas conhecem seus pontos fortes e fracos. Se você disser a alguém que ele é bom em algo que ele sabe que não é, ele provavelmente questionará seus motivos, pois perceberá a discrepância entre sua avaliação e aquilo que *realmente* pode fazer.

Existe um método alternativo, e muito superior, para usar elogios. Essa abordagem evita as armadilhas inerentes ao elogio permitindo que a pessoa elogie a si mesma e evita o problema de você parecer falso. Quando as pessoas elogiam a si mesmas, a sinceridade não é um problema, e elas raramente perdem uma oportunidade para fazer isso. E você, claro, convenientemente lhes dará essa oportunidade.

A chave para fazer uma pessoa elogiar a si mesma é construir um diálogo que a predisponha a reconhecer seus atributos ou realizações. Quando as pessoas elogiam a si mesmas, elas se sentem bem, e, de acordo com a Regra de Ouro da Amizade, elas passarão a gostar de você por causa dessa oportunidade de se sentirem bem consigo mesmas.

Voltando à relação inicial de Ben e Vicki, ele pode preparar o terreno para Vicki elogiar a si mesma.

Ben: Então você esteve trabalhando muito, ultimamente. (declaração empática sofisticada)

Vicki: Sim, trabalhei sessenta horas por semana nas últimas três semanas preparando um projeto.

Ben: É preciso muita dedicação e determinação para se comprometer com um projeto desse tamanho. (Uma declaração que permite a Vicki elogiar a si mesma.)

Vicki: (Pensando) Sacrifiquei muitas coisas para terminar esse projeto e fiz um ótimo trabalho, modéstia à parte.

Perceba que Ben não disse diretamente que achava Vicki uma pessoa dedicada e determinada. Entretanto, não foi difícil para ela reconhecer esses atributos em si mesma e aplicá-los às circunstâncias de seu trabalho. No caso de Vicki não se enxergar como uma pessoa dedicada e determinada, nenhum dano aconteceria para a relação. Aquilo que Ben disse é verdade, independentemente da autoavaliação de Vicki – então, na pior das hipóteses, o comentário passaria batido, mas, na melhor das hipóteses, faria com que ela se sentisse bem. Considerando a natureza humana, mesmo se Vicki na realidade não fosse uma pessoa dedicada e determinada, ela provavelmente aplicaria estes atributos favoráveis a si mesma. Poucas pessoas admitiriam em público, muito menos para si mesmas, que elas não são dedicadas e determinadas.

ELOGIOS DE TERCEIROS

Você pode usar terceiros para elogiar a pessoa com quem quer fazer amizade – *sem precisar fazer isso você mesmo* – e ainda ficar com o "crédito" por fazer seu alvo se sentir bem e, por extensão, gostar de você. Ao elogiar diretamente outra pessoa, principalmente alguém que pode suspeitar de sua sinceridade (por exemplo: sua namorada, seu chefe ou um amigo), ela tende a ignorar seu esforço porque suspeita que você intencionalmente a está tentando influenciar através do elogio. Um elogio vindo de terceiros elimina esse ceticismo.

Para formular um elogio vindo de terceiros será preciso encontrar um amigo ou conhecido em comum que conheça você e seu alvo. Além disso, você deve ter relativa certeza de que o indivíduo que escolher poderá passar adiante o elogio para a pessoa desejada. Se essa transmissão for bem-sucedida, na próxima vez que você encontrar seu alvo, ele o enxergará com uma perspectiva diferente. Considere a seguinte conversa e assuma que você é Mark.

Mark: Encontrei Mike outro dia. Ele me disse que acha você muito inteligente. Na verdade, ele disse que você é uma das pessoas mais capazes que já conheceu.
Sonia: Oh, é mesmo? Ele disse isso?
Mark: Foi isso o que ele disse.

Sonia irá aceitar mais prontamente esse elogio vindo de Mike do que se você (Mark) tivesse falado diretamente a mesma coisa. Além disso, Mike se sente livre para contar a Sonia exatamente o que você disse, algo que você pode ou não ter permissão social para dizer nos primeiros estágios de uma relação. Você indiretamente, por intermédio de Mike, permitiu que Sonia elogiasse a si mesma, o que a faz sentir-se bem, portanto ficando predisposta a gostar de você.

LUCRANDO COM ELOGIOS DE TERCEIROS NO TRABALHO

Além do cenário da paquera, os elogios de terceiros são muito eficazes no local de trabalho. Um exemplo: a verba para financiar operações no FBI é muito disputada; portanto, não são todas as propostas que acabam financiadas. Para melhorar a chance de minhas propostas serem aprovadas, eu empregava a estratégia do elogio de terceiros.

Várias semanas antes da minha proposta ser avaliada pelo novo diretor de operações, fui atrás do fofoqueiro do escritório e casualmente mencionei que já era hora de nosso escritório receber um diretor que finalmente sabia o que estava fazendo. Também comentei que o novo diretor era um homem inteligente com boas ideias sobre as estratégias operacionais. Para os fofoqueiros, a moeda de troca é informação. Sob seus olhos, eles ganham valor ao espalhar informações que ouvem para indivíduos que teriam interesse em saber delas. Como previsto, meus comentários logo chegaram ao chefe. Ele ficou mais propenso a aceitar esse elogio como sincero vindo de um terceiro do que se ouvisse diretamente de mim. Além disso, eu não tinha acesso ao diretor, já que estava sempre trabalhando em campo.

Quando o diretor analisou minhas propostas, ele estava predisposto a encará-las mais favoravelmente. Eu o fiz se sentir bem sobre si mesmo, obedecendo a Regra de Ouro da Amizade, de um jeito que não levantava suspeitas. Elogios de terceiros caem dentro dos parâmetros do comportamento normal. Então eu não tinha nada a perder. Se minha estratégia falhasse, o risco na pior hipótese era zero, pois eu perderia o financiamento mesmo assim. Se a técnica funcionasse, a melhor hipótese era conseguir o que eu queria. No fim, a maioria das minhas propostas foi aceita.

TERCEIROS E O "EFEITO DE PRIMAZIA"

Palavras não podem mudar a realidade, mas podem mudar a maneira como as pessoas *percebem* a realidade. Palavras criam filtros através dos quais as pessoas enxergam o mundo. Uma única palavra pode fazer a diferença entre gostar ou não de alguém.

Considere este exemplo: seu amigo Calvin descreve seu novo vizinho, Bill, a quem você irá encontrar pela primeira vez. Calvin diz: "Seu novo vizinho, Bill, não é muito confiável; de fato, quando você o cumprimentar, verifique depois seus dedos para ter certeza de que ele não roubou nenhum". Como você enxergará Bill quando você o encontrar pela primeira vez? O problema é que você foi encorajado a julgá-lo antecipadamente como não confiável por aquilo a que os cientistas se referem como o "efeito de primazia". Se um amigo descrever uma pessoa que você está prestes a conhecer como não confiável, você ficará predisposto a enxergar essa pessoa dessa maneira, independente do que for verdade. Portanto, sua tendência será enxergar tudo daquela pessoa como não sendo digno de confiança.

Por outro lado, digamos que o seu amigo Calvin diz que o seu novo vizinho, Bill, "é muito amigável, sociável e possui um ótimo senso de humor... você vai adorá-lo." Como você enxergará Bill agora? Provavelmente como um amigo, não importa o nível de simpatia.

Superar percepções negativas ou positivas que você possa ter em relação a um indivíduo específico por causa de algo que ouviu de outra pessoa (principalmente se você respeita e/ou gosta da pessoa) é difícil, mas não impossível. Quanto mais vezes você encontrar o "não confiável" Bill e não perceber nada de errado, mais provável será que enxergue-o como confiável, superando assim a negatividade original criada pelo efeito de primazia. Entretanto, você ficará menos propenso a dar uma chance a uma pessoa "não confiável" de mostrar que isso não é verdade, pois seu desejo de encontrar a pessoa outra vez ficará reduzido.

Se você encontrar o "amigável" Bill várias vezes e não perceber simpatia, então a tendência é que encontre alguma desculpa para isso. Tais desculpas podem incluir "Ele deve estar tendo um dia ruim" ou

"Eu devo ter aparecido numa hora ruim". Uma pessoa não amigável que inicialmente foi descrita como amigável ganha uma vantagem do efeito de primazia, pois as pessoas tendem a dar a ela várias oportunidades para demonstrar o contrário.

É precisamente por causa do poder do efeito de primazia que nós podemos usá-lo como uma ferramenta para moldar amizades ou fazer as pessoas nos enxergarem do jeito que queremos. O que você faz com o efeito de primazia é enviar uma mensagem que irá predispor alguém a enxergar outra pessoa da maneira que você quer que ela seja percebida.

TIRANDO PROVEITO DO EFEITO DE PRIMAZIA

Eu frequentemente empregava o efeito de primazia durante interrogatórios de pessoas suspeitas de cometerem crimes. Lembro de um caso onde estávamos interrogando um possível ladrão de bancos. Havia dois de nós junto com o suspeito na sala de interrogatório. Logo cedo na entrevista, meu parceiro pediu licença e saiu, dizendo que precisava dar um telefonema. Na verdade, sua saída fazia parte de nosso plano, que me permitiu ficar sozinho com o suspeito para falar com ele em particular.

Eu disse a ele: "Você tem sorte de ter meu parceiro cuidando do caso. Ele é honesto e justo. Ouvirá o seu lado da história sem preconceito nenhum". E então eu me recostei, esperando meu parceiro voltar. Alguns momentos depois, ainda sozinho, acrescentei: "Acontece que para ele é fácil ser justo. O cara é um detector de mentiras em forma de pessoa. Não sei como consegue, mas ele sabe quando alguém está mentindo. Não importa qual for o assunto ou quem esteja falando, ele consegue dizer se alguém está sendo desonesto." O que fiz com esse último comentário foi criar um filtro através do qual eu queria que o suspeito enxergasse meu parceiro. Empreguei o efeito de primazia para moldar a avaliação das suas habilidades.

Quando meu parceiro voltou, ele já sabia que deveria permanecer em silêncio até que eu perguntasse ao suspeito se ele havia roubado o banco. Se o homem negasse, meu parceiro deveria olhar para ele com uma expressão de incredulidade.

Então, o que aconteceu? Eu perguntei "Você roubou o banco?", e ele respondeu que não. Meu parceiro reagiu exclamando "O quê?" com um olhar cético. Então – e juro que isso é verdade – o suspeito bateu na mesa e disse "Caramba, ele é mesmo bom!", e depois confessou o crime.

FIQUE ATENTO AO EFEITO DE PRIMAZIA AFETANDO SEU PRÓPRIO COMPORTAMENTO

Usar o efeito de primazia é uma ótima ideia quando você quer influenciar os outros, mas tenha cuidado, pois essa é uma faca de dois gumes. Se não estiver atento, esse efeito pode ser prejudicial ao seu próprio comportamento em relação aos outros, levando a crenças imprecisas e enganosas.

Nos meus primeiros dias como agente do FBI, fui vítima do efeito de primazia. Fui destacado para interrogar um suspeito que, como informou meu colega, havia sequestrado uma garota de quatro anos. Antes de falar com o suspeito, meus pensamentos já haviam passado por um filtro por causa da declaração do meu colega, e quando fiquei cara a cara com ele, minha mente já havia decidido que se tratava do sequestrador. Consequentemente, tudo que o suspeito dizia ou fazia era visto através do meu "filtro" como uma indicação de culpa... apesar das muitas evidências do contrário.

Quanto mais pressão eu colocava sobre o suspeito, mais nervoso se tornava, não porque era o culpado, mas porque eu não acreditava nele e ele pensava que seria preso por algo que não fez. Quanto mais nervoso ele ficava, mais reforçava minha crença inicial de que era o sequestrador, e mais pressão eu aplicava. Não foi surpresa quando o interrogatório fugiu do controle. No final, fiquei constrangido quando apanharam o sequestrador real.

Na próxima vez que você conduzir uma entrevista, conhecer um novo colega ou comprar um novo produto, pense em como formou sua opinião sobre a pessoa ou o produto. As chances são grandes de que suas opiniões tenham sido formadas por primazia.

A aceitação de funcionários que se transferem de um escritório para outro muitas vezes depende de sua reputação... Assim como você se convence de que a nova marca de creme dental que comprou deve ser boa porque quatro de cinco dentistas a recomendam.

O efeito de primazia é poderoso. Use-o sabiamente.

PEDINDO UM FAVOR

O bom e velho Benjamin Franklin, o cara na cédula de cem dólares, notou que se pedisse um favor para um colega, esse colega passava a gostar mais dele do que se não tivesse feito o pedido. Esse fenômeno se tornou conhecido como o efeito Ben Franklin.

Num primeiro momento, esse conceito pode parecer ir contra o senso comum. Você não deveria gostar da pessoa que faz o favor mais do que ela de você? Acontece que esse não é o caso. Quando uma pessoa faz um favor a alguém, ela se sente bem. A Regra de Ouro da Amizade diz que se você fizer alguém se sentir bem, ele irá gostar de você. Portanto, pedir um favor não é um acontecimento apenas centrado em você, mas também é centrado na pessoa fazendo o favor.

Entretanto, aqui vai um alerta: não exagere com essa técnica, pois Ben Franklin também observou que "convidados, assim como peixes, começam a cheirar mal depois de três dias". (Igual a pessoas que pedem favores demais!)

Voltando ao encontro de Ben e Vicki, ele pode usar a técnica de "pedir um favor" durante sua conversa com a jovem garota.

Ben: É preciso muita dedicação e determinação para se comprometer com um projeto desse tamanho. (Uma declaração que permite a Vicki elogiar a si mesma.)

Vicki: (Pensando) Sacrifiquei muitas coisas para terminar esse projeto e fiz um ótimo trabalho, modéstia à parte.

Ben: Vicki, você pode me fazer um favor e cuidar da minha bebida enquanto vou ao banheiro? (Pede um favor)

Vicki: Claro, sem problema.

Ben chamou Vicki pelo seu primeiro nome (lembre-se de que as pessoas gostam do som de seus próprios nomes e o fato de que alguém se lembrou) e então pediu a ela um favor. Esses pequenos comportamentos predispõem Vicki a gostar de Ben, pois as pessoas que fazem favores se sentem bem consigo mesmas.

COMBINANDO FERRAMENTAS DE AMIZADE PARA INCREMENTAR A EFICÁCIA DE UMA RELAÇÃO

Dependendo das circunstâncias, você poderá usar uma ou várias das técnicas apresentadas neste livro para fazer um novo amigo. A vantagem de usar várias técnicas juntas é o poder adicional que uma combinação pode proporcionar. Para ilustrar, considere como o exército americano usou o efeito de primazia, a Fórmula da Amizade e a apresentação por terceiros para transformar em amigos pessoas desconfiadas ou hostis em relação aos Estados Unidos.

Conquistar corações e mentes de civis quando você é um estrangeiro conduzindo operações militares no país deles pode ser uma tarefa árdua. Soldados em solo estrangeiro, por causa da natureza do trabalho, são forçados a adotar a estratégia descrita pelo general James "Mad Dog" Mattis, que disse: "Seja educado, seja profissional, mas tenha um plano para matar qualquer pessoa que você encontrar". Em outras palavras, transformar inimigos em amigos não é nada fácil.

Numa tentativa de conquistar as pessoas no Afeganistão, fui destacado como membro de uma equipe cuja tarefa era "mostrar aos nossos garotos (as forças americanas) como serem menos ameaçadores, mas, ao mesmo tempo, mantendo-se alerta no campo de batalha".

Então, como é possível fazer alguém parecer amigável quando tudo que essa pessoa veste parece ameaçador (equipamentos de guerra, capacete, armas) e ela é ensinada a "fechar a cara" ao lidar com a população local? Não é de se admirar que quando esses soldados chegam numa vila local a população nativa enxergue os sinais inimigos e imediatamente "levante os escudos".

Foi isto que instruímos aos militares: entrem na vila com o mesmo equipamento militar e prontidão para se defenderem se atacados, mas também façam o seguinte:

1. *Empreguem a Fórmula da Amizade:* Fiquem um tempo na vila sem fazer nada... Apenas fiquem por lá. Isso satisfaz a condição

de proximidade. Então, com o tempo, aumentem o número (frequência) de visitas e a quantidade de tempo (duração). Finalmente, acrescentem intensidade à mistura presenteando as crianças da vila com coisas de que elas gostem (mais sobre isso em breve).

2. *Enviem sinais de "amizade" ao invés de sinais "inimigos":* Mantenham seu rosto de guerra, mas vistam uma máscara por cima; em outras palavras, sorriam e não usem uma carranca.

3. *Assim que as pessoas da vila se acostumarem a vê-los agindo de uma maneira não ameaçadora, carreguem um caminhão com bolas de futebol e dirijam pela vila onde as crianças possam vê-los.* O que acontecerá? Por causa dos sinais amistosos, as crianças não os enxergarão como ameaça e, além disso, sua curiosidade aumentará (intensidade), até que elas se aproximem do caminhão e perguntem: "Para quem são essas bolas?". O motorista pode responder: "São para vocês!"

Então o que acontecerá? As crianças passarão a gostar dos soldados. E quando encontrarem seus pais, servirão como terceiros apresentando os americanos. Elas dirão: "Eu vi os americanos, eles nos deram bolas de futebol e são pessoas legais". Agora os pais enxergarão os soldados através do filtro de primazia criado pelas crianças e ficarão mais abertos a enxergá-los como amigos ao invés de inimigos.

Se os americanos tivessem simplesmente chegado na vila sem empregar a Fórmula da Amizade (sem tentar estabelecer proximidade, frequência, duração e intensidade), enviando sinais inimigos ao invés de amistosos e sem usar o efeito de primazia pela apresentação de terceiros, o que você acha que aconteceria quando dissessem que não eram uma ameaça? Ninguém acreditaria. Os soldados seriam percebidos como mentirosos.

É impressionante como é fácil influenciar o comportamento das pessoas usando essas ferramentas de amizade. Sozinhas ou combinadas, elas permitem fazer as pessoas se sentirem bem consigo mesmas e, por sua vez, as encorajam a fazer você também se sentir bem.

Quando emprega a Regra de Ouro da Amizade, você encoraja a reciprocidade. "Se você me faz feliz, então eu quero fazer você feliz." Mesmo em encontros únicos, quando interage com uma pessoa que provavelmente nunca mais encontrará, você pode testemunhar a reciprocidade em ação.

A ESCOLHA ENTRE VOAR DE PRIMEIRA CLASSE OU NÃO DECOLAR POR CAUSA DO SEU MAU HUMOR

Vários anos atrás, meu voo faria uma escala em Frankfurt, na Alemanha. O resto da viagem não me animava: eu estava no assento do meio da classe econômica e o voo duraria oito horas. Certamente não queria embarcar cedo demais, e com uma hora para gastar, decidi fazer bom uso desse tempo. Juntei todas as palavras em alemão que aprendi no colégio e me dirigi para o agente de passagens. Ao me aproximar, exibi os principais sinais amistosos: o movimento de sobrancelha, o sorriso, a inclinação de cabeça. Quando cheguei ao balcão, eu disse "Gutten tag..." para que tivéssemos uma base em comum (ver Capítulo 4). Ele sorriu diante da minha tentativa amadora de falar alemão, mas retribuiu o cumprimento, e então disse em inglês "Posso ajudá-lo?".

Respondi que não, mas comecei a conversar com ele. Usei declarações empáticas para encorajá-lo a falar e se sentir bem. Enquanto a conversa corria, incentivada pelos meus breves comentários empáticos, era ele quem mais falava. O agente não notou isso porque as pessoas enxergam o mundo como se ele girasse ao seu redor, portanto meu comportamento não fugia do normal e não "alertava" seu cérebro. Eu lhe dei uma desculpa para falar; de fato, eu o *encorajei* a falar, e isso o fez se sentir bem.

Então ele passou a gostar de mim.

No fim da "conversa", o agente perguntou por que eu não havia embarcado. Eu disse que estava no assento do meio e queria passar o mínimo de tempo possível naquele aperto. Só isso.

Cerca de vinte minutos depois, o agente fez um último chamado para o embarque. Enquanto caminhava para a ponte, ouvi-o me chamar. Parei e ele se aproximou. Ele perguntou se eu tinha minha passagem em mãos. Assenti e mostrei. Ele a tomou das minhas mãos e entregou outra passagem.

– Tenha um bom voo, *herr* Schafer – ele disse.

Olhei para a passagem e percebi que meu assento havia mudado para a classe executiva.

– Obrigado, fico muito agradecido por isso – eu respondi.

– Sem problema – ele disse, fazendo um gesto para que eu embarcasse.

Numa outra vez meu voo estava atrasado e todos estavam muito zangados. Eu estava esperando na fila no balcão de embarque e o homem na minha frente estava tão transtornado que gritava com a agente que perderia sua conexão, junto com outros impropérios. Ela disse que a única coisa que podia fazer era colocá-lo num voo que decolaria mais tarde, às cinco e meia.

Então chegou a minha vez. Ao me aproximar da funcionária, que obviamente estava estressada, eu não esperava por nada; queria apenas tentar melhorar seu dia. Ela tomou a passagem da minha mão e disse: "Desculpe, senhor, você perderá sua conexão. Posso transferi-lo para o voo das cinco e meia."

Olhei diretamente em seus olhos e disse ironicamente "Eu não acho isso aceitável", imitando o passageiro anterior. E quando ela me olhou de volta, acrescentei "Posso gritar com você agora?". Ela disse não e mencionou novamente o voo das cinco e meia.

Eu repeti: "Posso gritar com você agora?". Foi então que ela começou a rir. Eu disse: "*Quando* posso começar a gritar com você?". Agora nós dois estávamos sorrindo e brincando um com o outro. Após um minuto assim, ela disse "Quer saber... Acabei de encontrar um lugar no voo das duas e quarenta" e digitou meu nome no computador. Eu comentei: "Só por curiosidade, ouvi você dizendo ao passageiro anterior que não havia mais lugar no voo das duas e quarenta". Ela respondeu: "Não tem mais lugar para as pessoas que gritam comigo. Você quer gritar comigo agora?". Completei em tom de brincadeira: "Não, senhora. Muito obrigado".

O curioso é que eu não esperava conseguir entrar naquele voo; queria apenas fazê-la se sentir melhor. Mas, quando você faz os outros se sentirem bem, geralmente, coisas boas acontecem com você.

Já usei essa técnica "botar sua frustração para fora" muitas vezes com todo tipo de funcionário, e isso nunca deixou de melhorar seu humor. Durante uma das minhas viagens ao exterior, um grupo de passageiros chineses perdeu sua conexão para Hong Kong e estava pressionando a agente de embarque. Ela tentava ser educada, mas não estava funcionando. A polícia foi chamada para lidar com a situação, pois os passageiros estavam causando uma grande confusão.

Eu tive a "honra" de ser a pessoa seguinte na fila para falar com a agente. Então me aproximei do balcão e disse: "Parece que você teve um pequeno problema aqui hoje". (Declaração empática.)

A resposta dela foi curta e grossa: "Pois é".

Observei: "Parece que você está frustrada". (Declaração empática.)

Ela disse: "Sim, estou muito frustrada por não poder gritar com aquelas pessoas. Não consigo me livrar dessa frustração".

Assenti com a cabeça num gesto de simpatia. "Bem, então vou fazer o seguinte. Vou voltar para o fim da fila, e quando minha vez chegar novamente, vou dizer algo sobre o seu serviço. Então quero que você grite comigo. Coloque tudo para fora."

A mulher me olhou de forma um pouco estranha, mas concordou.

Então, voltei para o fim da fila e esperei minha vez novamente. Apontei o dedo para a agente e disse: "Não gostei da maneira como você tratou aquelas pessoas. Você foi rude, mal-educada e...". A agente me interrompeu mandando eu calar a boca e começou a gritar comigo. Toda sua frustração estava em ebulição, e agora ela tinha a chance de botar tudo para fora!

Quando ela terminou de gritar, eu disse que estava extremamente bravo e desapontado.

A agente respirou fundo e perguntou: "O que acalmaria a sua raiva, senhor? Talvez um lugar melhor?".

Confirme: "Sim, isso ajudaria muito."

"Certo, vou passá-lo para a primeira classe."

"Obrigado." E então nós dois começamos a rir.

Enquanto embarcava no voo, a agente chegou a subir a bordo e me agradeceu por "melhorar seu dia".

Esse tipo de coisa acontece comigo o tempo todo. As pessoas fazem coisas por mim. Não peço por favores, nem mesmo insinuo.

Descobri que quando você faz as pessoas se sentirem bem consigo mesmas (a Regra de Ouro da Amizade), você não apenas as faz gostarem de você, mas também recebe um benefício colateral; elas também querem fazer você se sentir bem. Vejo isso todos os dias. E experimento várias vezes.

Aqui vai outra experiência com viagens aéreas para ilustrar esse "benefício". Eu estava na cidade de Moline, em Illinois, quando meu voo foi cancelado. E aquele não era exatamente um bom lugar para se ficar preso. As pessoas estavam gritando e praguejando. A mulher na minha frente balançava os braços e gritava para a agente no balcão, que por sua vez tentava não perder a cabeça. Ela disse: "Senhora, o próximo voo em que posso colocá-la sairá amanhã de manhã". Ao ouvir a informação, a mulher xingou ainda mais alto e saiu de lá batendo os pés.

Chegou a minha vez. Eu me aproximei da agente que ainda estava de cabeça quente e disse: "Uau, aquela mulher estava muito brava". (Declaração empática.)

Ela concordou. "Estava mesmo. Eu não gostei dela".

Respondi: "Bom, não pude deixar de ouvir que não há mais voos até amanhã de manhã".

Ela disse: "Não, outro voo sai daqui uma hora".

Comecei a falar algo, mas fui interrompido. "Não gostei dela. Então ela vai esperar até amanhã. Gostei de você. Você pode embarcar hoje."

UTILIZANDO FERRAMENTAS DE AMIZADE: O CÉU É O LIMITE

Tenho uma última história sobre viagens aéreas que deve, sem deixar dúvidas, confirmar que as ferramentas de amizade realmente funcionam. Estava no último voo para fora da cidade, com uma conexão de noventa minutos, então decidi que seria uma ótima oportunidade para entrevistar alguns funcionários da companhia aérea e conhecer seus pensamentos sobre a relação entre serviço ao consumidor e o comportamento dos clientes.

Havia uma única funcionária ainda trabalhando no balcão de embarque. Eu me aproximei, usando sinais amistosos enquanto me dirigia até lá. Precisava de uma "isca" para acender sua curiosidade. Quando ela perguntou para onde eu estava indo, respondi que viajava para Chicago para terminar uma investigação. Ela perguntou o que eu fazia para viver e eu disse "trabalho para o FBI". Isso chamou sua atenção, e ela perguntou que tipo de trabalho eu fazia para o FBI.

"Dou treinamento."

"Treinamento sobre o quê?"

"Sobre serem pessoas legais... e conseguirem coisas que não merecem." (Isca de curiosidade.)

Ela riu. "Como o quê?"

"Como um lugar melhor no avião."

Nesse ponto, nós dois estávamos sorrindo. Eu disse: "Se eu chegasse perto de você e pedisse por um lugar melhor, você me daria?".

"Não", ela exclamou. "As pessoas fazem isso o tempo todo e eu sempre nego."

"Então em alguma situação você dá lugares melhores?"

"Sim, para as pessoas de quem eu gosto."

Caso encerrado.

Esteja você no Afeganistão ou em Atlanta, as técnicas neste livro funcionam, sozinhas ou combinadas. Quando as usa, você maximiza as chances de fazer amigos, mesmo com aqueles indivíduos que a princípio parecem inimigos. E, quem sabe, você pode até conseguir viajar de primeira classe.

4

AS LEIS DA ATRAÇÃO

Se você quiser encontrar um amigo, descobrirá que eles são muito raros. Se você for um amigo, você os encontrará em toda a parte.
— ZIG ZIGLAR

Neste capítulo darei mais alguns instrumentos para sua caixa de ferramentas da amizade: as "Leis da Atração". Essas "leis" descrevem certos fatores que, quando presentes, servem para aumentar a probabilidade de que dois indivíduos serão atraídos um pelo outro e experimentarão um resultado positivo quando interagirem. Uma vez que essas leis possuem um papel crucial ao moldar as relações humanas, se você puder incorporá-las em suas próprias interações elas irão proporcionar maneiras adicionais de fazer amigos.

Pense em cada Lei da Atração como uma ferramenta que melhora a eficácia de sua relação. Você não precisa usar todas para ter sucesso; na verdade, você não deve fazer isso, pois algumas das leis não são adequadas para suas características pessoais nem são feitas para trabalhar com diferentes tipos de relacionamento (como um encontro único com um vendedor, em oposição ao desenvolvimento de uma amizade de longa duração). Escolha as leis que combinem melhor com você e use-as em suas interações com as pessoas de seu interesse.

A LEI DA SEMELHANÇA ("ALGO EM COMUM")

Pessoas que compartilham as mesmas perspectivas, atitudes e atividades tendem a desenvolver relações próximas. O ditado "pássaros de mesma plumagem voam juntos" é verdadeiro. Pessoas são atraídas por quem possui os mesmos interesses. A necessidade de evitar a dissonância cognitiva explica por que isso é verdade. Dissonância ocorre quando duas ideias ou crenças opostas são defendidas. Essa diferença, real ou percebida, cria ansiedade.

Pessoas com visões semelhantes reforçam umas às outras e, portanto, aumentam a probabilidade de atração mútua. Semelhanças também aumentam as chances de que os indivíduos se encontrem de novo. Reforço mútuo mantém ou eleva a autoestima, o que leva a uma sensação maior de felicidade e bem-estar.

Indivíduos que compartilham os mesmos princípios e crenças raramente experimentam dissonância, e se sentem seguros com o outro. Tendem a experimentar menos conflitos, porque percebem o mundo de maneira semelhante. Essa identidade leva a uma maior percepção de felicidade, a uma sensação de ser entendido. Quando pessoas se encontram pela primeira vez, até mesmo a percepção de identidade aumentará a atração mútua.

FARINHA DO MESMO SACO

No começo da minha carreira notei que a maioria dos agentes do FBI parecia entre si e compartilhava as mesmas ideias. Isso pode ser explicado pelo princípio psicológico da semelhança e atração. Agentes do FBI encarregados de contratações tinham a tendência de contratar novos agentes parecidos com eles. Quando o recém-contratado ganhava experiência para participar do processo de seleção, ele também inconscientemente escolhia indivíduos semelhantes. Com o passar das décadas, o FBI se tornou povoado por agentes que compartilhavam as mesmas ideias, se vestiam da mesma forma e pareciam iguais.

Com a chegada do programa de ação afirmativa, mais mulheres e minorias foram contratados. Quando esses indivíduos ganhavam experiência, eles selecionavam pessoas mais semelhantes a eles. Baseado no princípio psicológico da semelhança e atração, o FBI atualmente reflete melhor a diversidade da população americana.

Semelhanças conectam as pessoas. Encontrar coisas em comum rapidamente estabelece uma conexão e um ambiente fértil para desenvolver amizades. Aristóteles escreveu: "Nós gostamos daqueles que se parecem conosco e que possuem os mesmos objetivos... Gostamos daqueles que desejam as mesmas coisas que nós". Desenvolver relações é fácil se você conseguir encontrar algo em comum com o outro. As pessoas automaticamente esperam que os outros pensem como elas, principalmente quando encontram alguém pela primeira vez. Portanto, quando encontrar alguém pela primeira vez, você pode trabalhar com essa predisposição procurando por coisas em comum.

Quando analisar alguém a distância, procure por potenciais interesses em comum. Você pode encontrá-los, por exemplo, na maneira como a pessoa se veste. Um indivíduo usando uma camiseta de um time esportivo sugere ao menos algum interesse no time. Mesmo se não torcer para esse time, você pode usar essa informação para começar uma conversa, principalmente se for interessado por esportes.

O que a pessoa está *fazendo* também pode servir como base para estabelecer uma conexão. Se ela está levando um cachorro para passear, lendo um livro ou empurrando um carrinho de bebê, você poderá tirar valiosas informações para identificar potenciais inícios para uma conversa e/ou interesses em comum.

Tatuagens também podem oferecer dicas sobre o interesse das pessoas. Tatuagens são permanentes. Na maioria das vezes, quando alguém faz uma tatuagem, pensa bastante sobre qual desenho quer fazer e onde. Uma pequena tatuagem de uma folha de maconha localizada numa parte proeminente do corpo indica uma atitude decidida quanto ao assunto. Se você se opuser à maconha, será melhor procurar por um amigo em outro lugar.

A maneira como uma pessoa interage com os outros também pode indicar sua disposição pessoal. Uma pessoa que se senta encurvada na cadeira e não interage facilmente com os outros possui uma disposição diferente de alguém que se senta com as costas retas e facilmente conversa com as pessoas ao redor. Se a sua personalidade diferir significativamente de quem está na sua frente, a probabilidade de desenvolver uma relação próxima diminui.

Após fazer contato inicial, ouvir o que o outro tem a dizer você pode dar dicas adicionais de suas preferências. Faça um esforço consciente para dirigir a conversa na direção das coisas que vocês possuem em comum. Conversar sobre experiências compartilhadas, interesses, hobbies, trabalhos ou qualquer outro assunto em comum aumenta a conexão e o desenvolvimento da amizade. Aqui vão algumas ilustrações de quão rápido você pode encontrar coisas em comum com outros indivíduos.

EXPERIÊNCIA CONTEMPORÂNEA

Uma experiência contemporânea significa que você e a pessoa que acabou de conhecer compartilham os mesmos interesses e atitudes. Por exemplo, se encontrar alguém vestindo uma camiseta com o símbolo do Chicago White Sox e você é um fã do White Sox, então vocês compartilham um interesse contemporâneo. Entretanto, só porque alguém está usando uma camiseta do White Sox não significa que seja torcedor. Além do interesse, para construir uma conexão podem ser usadas declarações empáticas para explorar observações ou hipóteses que você possa desenvolver em relação a quem acabou de conhecer. Considere a seguinte conversa:

Bryan: Oi, meu nome é Bryan. Qual é o seu?
Christine: Christine.
Bryan: Então você torce pelo White Sox? (declaração empática)
Christine: Desde pequena.
Bryan: Eu também.

Ao usar uma declaração empática, Bryan descobriu que Christine é apaixonada pelo White Sox. Uma vez que um interesse comum foi estabelecido, ele pode agora se concentrar nesse assunto e a conversa fluirá naturalmente. Se Bryan não fosse fã do White Sox, ele poderia recuar para o interesse comum do beisebol, como na seguinte conversa:

Bryan: Oi, meu nome é Bryan. Qual é o seu?
Christine: Christine.
Bryan: Então você torce pelo White Sox? (declaração empática)
Christine: Desde pequena.
Bryan: Eu gosto de beisebol, mas torço pelo Cubs.
Christine: Ah, eu não acompanho a segunda divisão.

(Nota: é óbvio que Christine, além de possuir senso de humor, desdenha do rival do seu time favorito!) Uma vez estabelecido que Bryan e Christine possuem interesse em beisebol, mas torcem para times diferentes, Bryan pode usar essa informação para iniciar uma conversa sobre os pontos positivos e negativos de cada time.

Pessoas que compartilham a mesma cidade podem rapidamente construir amizade, principalmente quando se encontram fora dessa cidade. Outros bons assuntos para construir amizades: trabalho, posições políticas, crenças religiosas, amigos em comum e experiências semelhantes.

Se você tiver dificuldade em encontrar experiências contemporâneas, converse sobre música. Como mencionado antes, uma coisa que a maioria das pessoas possui em comum é a música. A música é um assunto neutro sobre o qual a maioria das pessoas tem disposição para conversar, mesmo se tiverem preferências diferentes.

EXPERIÊNCIAS TEMPORAIS

Experiências compartilhadas através do tempo, como estudar na mesma escola, o serviço militar ou morar na mesma área, aumentam as oportunidades de fazer amigos. Vocês podem não ter vivido as experiências no mesmo tempo, mas podem usar o período para encontrar algo em comum.

EXPERIÊNCIAS VICÁRIAS

Uma experiência vicária ocorre quando você experimenta uma atividade através de outra pessoa. É possível usar experiências vicárias para estabelecer uma base em comum com o ouvinte mesmo quando, na verdade, você não conheça muito sobre o assunto tratado. Essa abordagem é particularmente eficaz porque permite a seu alvo falar sobre si mesmo e sobre algo pelo que provavelmente se interessa. Isso o faz sentir-se bem consigo mesmo, e por isso você é percebido positivamente (a Regra de Ouro da Amizade em ação). Essa é a técnica favorita dos vendedores, pois podem encontrar uma base em comum com um cliente mesmo quando não sabem muito sobre o que ele está falando. Aqui vai um exemplo:

Vendedor de carros: Qual é o seu trabalho?
Cliente: Sou padeiro.
Vendedor de carros: É mesmo? Meu pai também era padeiro.

O vendedor não precisa saber nada sobre a profissão do padeiro porque seu pai era padeiro. Você pode usar essa técnica para encontrar algo em comum quando encontrar uma pessoa pela primeira vez.

Audrey: Onde você trabalha?
Susan: Trabalho com planejamento financeiro.
Audrey: Interessante. Minha irmã é contadora.

Nós sempre temos algum parente que trabalha no mesmo ramo da pessoa com quem conversamos. No caso de Audrey, sua irmã é contadora, que é um campo semelhante ao planejamento financeiro. Se você não possuir um parente que trabalhe no mesmo ramo, pense em algum amigo que trabalhe. Usar a técnica da experiência vicária pode ser útil quando você está tentando estabelecer uma relação. Porém, tenha cuidado: não minta para quem você está encontrando pela primeira vez. Se a relação continuar, então a verdade pode ser revelada. Quebra de confiança, principalmente quando acontecer no começo de uma relação, pode rapidamente fazer o tiro sair pela culatra.

A LEI DA ATRIBUIÇÃO EQUIVOCADA

Às vezes fazer amigos é simplesmente uma questão de estar no lugar certo na hora certa. Quando as pessoas se sentem bem consigo mesmas e não atribuem a sensação boa a uma causa específica, tendem a associar a causa com quem está fisicamente mais perto. Se for você, então a pessoa próxima o valorizará não por algo que você tenha feito, mas por causa da "atribuição equivocada". De certo modo, o que temos aqui é um caso de benefício colateral.

Considere este exemplo. Quando as pessoas se exercitam, seus cérebros liberam endorfinas. A liberação de endorfinas proporciona uma sensação não específica de bem-estar. Uma vez que o efeito das endorfinas não é diretamente atribuído ao exercício, a sensação boa tende a ser atribuída a outra pessoa, se houver alguém por perto. Pense nisso como o "benefício colateral". Já que a sensação é "atribuída equivocadamente" à pessoa mais próxima, ela é percebida inconscientemente como a causa da boa sensação e, portanto, parece mais atraente.

Como usar essa informação para fazer alguém gostar de você? Na verdade, é possível tirar vantagem desse fenômeno de várias maneiras. Se estiver em forma, você pode arranjar um encontro envolvendo uma atividade física, inscrever-se em uma academia ou participar de esportes (caminhadas ou corridas proporcionam uma ótima oportunidade para esse fenômeno acontecer).

USANDO A ATRIBUIÇÃO EQUIVOCADA PARA CONSEGUIR UM ENCONTRO: "EXERCITE" SUAS OPÇÕES

Vamos supor que você deseja convidar alguém para sair e quer aumentar suas chances de receber uma resposta positiva. Usar a lei da atribuição equivocada pode ser a chave. Se você souber que a pessoa com quem quer sair caminha ou se exercita regularmente, finja "esbarrar" nela durante ou logo após a atividade. Esse encontro não precisa incluir uma troca verbal. Simplesmente compartilhar o mesmo local pode induzir a atribuição equivocada e o tornar mais atraente. Se tanto você quanto seu alvo se exercitam regularmente, tente fazer seus horários coincidirem. Ficar por perto durante o exercício já irá produzir o benefício colateral. Se o seu alvo é alguém do trabalho, fique perto de sua mesa quando ela voltar da atividade física. Do mesmo modo, se souber que seu alvo frequenta uma cafeteria todos os dias após o exercício, certifique-se de estar presente no horário em que ele chegar.

O que você está tentando fazer é tirar vantagem do princípio da atribuição equivocada e aumentar seu grau de atração aos olhos da pessoa, associando-se com a boa sensação causada pela liberação de endorfina do exercício. Para conquistar esse objetivo, você precisa estar próximo durante ou logo após a endorfina ser liberada.

Surpreendentemente, a atribuição equivocada também ocorre quando as pessoas experimentam eventos assustadores e experiências traumáticas. Elas sentem proximidade com aqueles que compartilham as mesmas experiências traumáticas. Soldados que sobrevivem a batalhas cruéis formam profundas conexões com seus camaradas. Policiais desenvolvem relações próximas com seus parceiros depois de compartilhar experiências problemáticas. Na época em que era permitido (ou tolerado) o trote universitário, criava-se amizades de longo prazo entre os estudantes que sobreviviam à provação.

Um filme de terror pode evocar a mesma resposta. Se você levar alguém a um filme de terror, a experiência compartilhada dispara a atribuição equivocada, que por sua vez aumenta a atração entre os espectadores. Por essa razão, levar seu alvo para um filme de terror é ideal para o primeiro encontro, pois isso aumenta a chance de atração mútua em uma nova relação. Do mesmo modo, se a sua relação de longo prazo está minguando, vá saltar de paraquedas, andar de montanha-russa ou participar de alguma atividade que crie a percepção de perigo. A experiência compartilhada irá aproximá-los e revigorar sua amizade ou seu romance.

A LEI DA CURIOSIDADE

A curiosidade pode ser usada como uma "isca" para aumentar a intensidade (Fórmula da Amizade) e despertar o interesse da pessoa em você. É uma maneira eficaz para se fazer amigos. Todas as criaturas capazes de mais do que mera resposta mecânica a um estímulo possuem curiosidade. É um imperativo biológico, impulsionado pela necessidade de autopreservação, reprodução e cobiça. Nós humanos queremos saber tudo: quem somos, quem são os outros, de onde viemos, o que existe do outro lado da montanha, e forma, tamanho, composição, longevidade e distância de tudo, desde partículas até o universo.

Para sobreviver, os animais acima do nível primitivo devem entender o ambiente onde vivem. Além disso, devem descobrir qualquer mudança nesse ambiente para serem capazes de responder adequadamente. Uma vez que é a sobrevivência que está em jogo, as mudanças nas imediações – aquelas que afetarão de maneira pessoal o indivíduo – são as mais importantes.

A maneira mais eficaz para descobrir mudanças é procurando-as. Portanto, um barulho na mata chama a atenção do gato, que começa a espreitar. O barulho pode ser uma presa, pode ser um predador ou pode ser a irrigação automática do jardim. Essa curiosidade pode levar a uma refeição, uma escapada precisa ou um banho. De qualquer modo, precisa ser investigada.

Quando você se comporta de um jeito que produz curiosidade em outra pessoa, isso aumenta significativamente as chances de que ela queira interagir com você numa tentativa de satisfazer essa curiosidade. Portanto, uma "isca de curiosidade" se torna uma ferramenta eficaz para conhecer alguém de interesse e desenvolver uma amizade. Usei a Lei da Curiosidade regularmente como agente do FBI para melhorar minha eficácia ao recrutar estrangeiros. Num certo ponto durante minha carreira, um norte-coreano se mudou para minha jurisdição. Havia razões para suspeitar que ele fosse agente de seu governo, e eu fui destacado para tentar transformá-lo num agente duplo. Eu sabia que se simplesmente entrasse na loja onde ele trabalhava e dissesse "Sou Jack Schafer do FBI, podemos conversar?", o cara provavelmente entraria em pânico e sairia correndo. Então decidi usar uma isca de curiosidade para fisgá-lo.

Primeiro, entrei em sua loja quando sabia que ele não estaria e deixei um recado dizendo "É uma pena que não o encontrei" e assinei "Jack Schafer". Fiz isso em três ocasiões diferentes. Na terceira visita, acrescentei meu número de telefone. Essas mensagens foram criadas para despertar a curiosidade do norte-coreano. "Quem é esse Jack Schafer, e por que ele quer me contatar?" Era isso que eu queria que ele se perguntasse, esperando que cada novo recado aumentasse sua curiosidade. E funcionou. Após receber o recado com meu telefone, ele me ligou e marquei um encontro mais tarde naquela semana.

A LEI DA RECIPROCIDADE

As normas sociais ditam que se alguém lhe dá algo ou faz um favor para você, pequeno ou grande, então você fica predisposto a retribuir o gesto na mesma medida ou num gesto ainda maior. Organizações tiram proveito disso enviando cartas com calendários ou outros pequenos presentes junto com um pedido para doações. As pessoas ficam predispostas a obedecer porque receberam algo em primeiro lugar, e sentem obrigação de retribuir de alguma forma.

A lei da reciprocidade é uma ferramenta muito eficaz para se fazer amigos. Quando você sorri para alguém, essa pessoa sente obrigação de retribuir o sorriso. Um sorriso sinaliza aceitação. As pessoas gostam de se sentir aceitas. O princípio da reciprocidade é disparado quando as pessoas se tornam cientes de que alguém gosta delas. Uma vez que uma pessoa descobre que alguém gosta dela, então esse indivíduo se torna mais atraente. As pessoas tendem a retribuir as mesmas sensações que os outros lhe causam. Reciprocidade produz os resultados mais dramáticos quando as duas partes da interação formam boas primeiras impressões ou possuem sensações naturais em relação ao outro.

Não diga "de nada", diga...

Na próxima vez que alguém agradecer por algo, não diga "de nada". Ao invés disso, diga "sei que você faria o mesmo por mim". Essa resposta invoca a reciprocidade. A outra pessoa ficará predisposta a ajudá-lo quando você pedir um favor.

A LEI DA REVELAÇÃO PRÉVIA

A reciprocidade também está ligada à abertura na comunicação. Indivíduos que revelam mais informações pessoais possuem mais chances de receber em troca o mesmo nível de informação. Esse fenômeno fica ainda mais pronunciado se quem está se comunicando possuir interesses em comum com o interlocutor.

Revelação prévia promove a atração. As pessoas sentem proximidade com outros que revelam suas vulnerabilidades, pensamentos íntimos e fatos sobre si mesmos. A sensação de proximidade aumenta se as revelações são emocionais ao invés de factuais. Isso acontece em parte por causa da intensidade de tais revelações, que afetam positivamente o fator de simpatia da pessoa.

Revelações muito genéricas reduzem a percepção de abertura, e assim, a sensação de proximidade. Revelações íntimas demais geralmente destacam falhas de caráter e personalidade, reduzindo o fator de simpatia. Pessoas que fazem revelações íntimas cedo demais numa relação geralmente são percebidas como inseguras, o que reduz ainda mais o fator de simpatia. Portanto, se for encontrar alguém com quem gostaria de ter uma relação de longo prazo, você deve ter cuidado sobre suas revelações mais íntimas nos primeiros estágios da relação.

A revelação prévia é um processo de duas etapas. Primeiro, é preciso fazer uma revelação que não seja nem muito genérica nem muito íntima. Segundo, a revelação deve ser recebida com empatia, bondade e respeito. Uma resposta negativa pode terminar uma relação instantaneamente.

Revelações prévias geralmente são recíprocas. Quando alguém faz uma revelação prévia, o ouvinte fica mais disposto a retribuir com algo semelhante. A troca de informações pessoais cria uma sensação de intimidade. Uma relação na qual um lado faz revelações pessoais enquanto o outro continua a fazer revelações superficiais não está progredindo e provavelmente chegará ao fim.

QUER AUMENTAR A LONGEVIDADE DA SUA RELAÇÃO?

Use a abordagem João e Maria. João e Maria, na clássica história infantil, se aventuraram pela floresta e, para terem certeza que encontrariam o caminho de volta, deixaram um rastro de migalhas de pão por onde passavam. Recomendo que use a técnica da "migalha de pão" para distribuir informações sobre você mesmo. Relações tendem a definhar com o tempo. Para aumentar a longevidade, libere revelações num longo período de tempo.

Quando uma pessoa encontra alguém em quem pode confiar, ela geralmente sente a tentação de escancarar suas comportas emocionais – contando coisas demais, rápido demais –, sobrecarregando o ouvinte. Revelações devem ser liberadas em um longo período de tempo para assegurar que a relação lentamente seja incrementada em termos de intensidade e proximidade. Um constante gotejar de informações, igual às migalhas de pão de João e Maria, aumenta a longevidade da relação porque cada parceiro continuamente sente a proximidade que surge com esse gotejar de revelações.

Revelações mútuas criam confiança. Pessoas que fazem revelações pessoais se tornam vulneráveis à pessoa para quem confidenciam. Revelações mútuas criam uma zona de segurança, pois cada pessoa expõe suas vulnerabilidades e tende a proteger revelações para evitar um constrangimento mútuo resultante de uma quebra de confiança.

Usuários de redes sociais tendem a depender mais de revelações para criar uma sensação de proximidade, pois não recebem dicas verbais e não verbais que seriam trocadas no caso de uma interação face a face. A veracidade da informação trocada on-line é sempre algo suspeito, portanto isso força os usuários a passar mais tempo verificando as informações. Uma vez que a veracidade é estabelecida, a falta de presença física aumenta a probabilidade de revelações mais íntimas on-line, que por sua vez leva à ilusão de uma relação mais próxima.

A LEI DA ATRAÇÃO PESSOAL

Atratividade é um benefício tangível para aqueles que a possuem. Embora o ditado diga que "a beleza está nos olhos de quem vê", a realidade é que cada cultura possui seus padrões para aquilo que julga "atraente". Embora esses padrões possam mudar com o tempo, a maioria dos membros de uma cultura internaliza o consenso do que é considerado bonito.

Atratividade não é algo absoluto. Você pode se tornar mais atraente se estiver disposto a se esforçar para alcançar esse objetivo. De acordo com Gordon Wainwright, autor de *Teach Yourself Body Language* (Aprenda a linguagem corporal, em tradução livre), qualquer pessoa pode aumentar sua atratividade se mantiver contato visual, agir descontraidamente, vestir-se bem, adicionar um pouco de cor ao seu guarda-roupa e ser um bom ouvinte. Wainwright também reforça a importância da postura e do comportamento e sugere que durante uma semana você endireite as costas, encolha a barriga, levante o queixo e sorria para aqueles que encontrar pela frente. Com o resultado de muitos experimentos, Wainwright prediz que você começará a ser tratado com mais cordialidade e respeito e irá atrair mais as pessoas.

Pessoas atraentes são percebidas como possuidoras de mais atributos positivos. Homens e mulheres bonitos são geralmente julgados como mais talentosos, bondosos, honestos e inteligentes do que os menos atraentes. Estudos controlados mostram que as pessoas se esforçam para ajudar indivíduos atraentes, seja do sexo oposto ou não, porque querem ser aceitos e amados pelas pessoas atraentes.

Atratividade pode ter implicações financeiras. Numa escala de menos atraente para mais atraente, pessoas menos atraentes ganham de cinco a dez por cento menos do que indivíduos de aparência média, que por sua vez ganham três a oito por cento menos do que aqueles considerados atraentes. Pesquisas também mostram que estudantes atraentes ganham mais atenção e melhores notas de seus professores. Pacientes bonitos ganham cuidados mais personalizados, e criminosos atraentes recebem sentenças mais leves. Só é preciso uma olhada em Hollywood para perceber o impacto que as estrelas de cinema atraentes possuem em nosso sistema de justiça.

A LEI DO HUMOR

Indivíduos que usam humor em encontros sociais são percebidos como mais simpáticos. Além disso, tanto a confiança quanto a atração aumentam quando uma abordagem descontraída é usada durante interações face a face. O uso criterioso do humor pode reduzir a ansiedade e estabelecer um clima relaxado que ajuda a relação a se desenvolver mais rapidamente. Uma piada mais ousada pode ajudar a aumentar o nível de intimidade numa paquera. É claro, assim como qualquer comunicação verbal, o emissor deve ter certeza de que as palavras, ou neste caso o humor usado, são apropriadas e não serão consideradas ofensivas pelo ouvinte.

O benefício colateral de usar humor é que a risada libera endorfinas, fazendo a pessoa se sentir bem e, de acordo com a Regra de Ouro da Amizade, se você fizer as pessoas se sentirem bem, elas gostarão de você. Uma mulher que gosta de um homem em particular irá rir de suas piadas, independentemente de serem boas ou não, com mais frequência do que as piadas de alguém por quem ela não tem interesse romântico. Esse fenômeno reforça ainda mais a Regra de Ouro da Amizade.

A LEI DA FAMILIARIDADE

Quanto mais encontramos e interagimos com as pessoas, é mais provável que nos tornemos amigos. O cientista comportamental Leon Festinger e dois colegas estudaram as relações num pequeno prédio de dois andares. Eles descobriram que os vizinhos próximos tinham mais chances de serem amigos. Os moradores com menos chances de serem amigos eram aqueles que viviam em andares separados. Os moradores que residiam perto das escadas e das caixas de correio possuíam amigos nos dois andares.

A lei da familiaridade indica a importância da *proximidade* (um componente da Fórmula da Amizade) nas relações. Pessoas que compartilham o mesmo espaço físico possuem mais probabilidade de sentir atração uns pelos outros. A proximidade predispõe uma pessoa a gostar de outra, mesmo antes de serem formalmente apresentados. Um mapa de lugares numa sala de aula pode ser uma boa maneira de prever as relações dos alunos. Em minha classe, observei que os estudantes que se sentavam perto um do outro possuíam mais chances de se tornar amigos em oposição àqueles que se sentavam do lado oposto da classe. Igualmente, em cenários profissionais, romances e amizades podem ser previstos baseados em quem se senta perto de quem.

O velho ditado "o que os olhos não veem o coração não sente" não tem realmente um fundo de verdade. Quanto mais longe um casal viver um do outro, maior a probabilidade de que sua relação não sobreviva.

A LEI DA ASSOCIAÇÃO

Quando as pessoas se associam em grandes grupos, os indivíduos fora desse grupo tendem a avaliar os membros baseados na impressão geral do grupo como um todo. Portanto, quando um indivíduo menos atraente quer ser visto como mais atraente, ele deve se associar a um grupo de pessoas atraentes. Do mesmo modo, uma pessoa atraente pode ser vista como menos atraente se estiver na companhia de pessoas não atraentes.

Pelo visto, a vida adulta não é muito diferente do colégio. Se quer ser "popular", você ainda precisa andar com as pessoas populares. Numa situação de negócios, isso significa que você deve sempre tentar "fazer amigos para cima", e não para "baixo". É importante levar em consideração as pessoas com quem se associa. Se quiser ser visto como bem-sucedido, você deve andar junto com pessoas de sucesso.

A lei da associação funciona de maneira diferente quando, ao invés de observar como a atratividade de uma pessoa é afetada por pertencer a um grupo grande, o foco recai sobre como as pessoas são comparadas e percebidas quando estão na presença de apenas uma ou duas pessoas. Nessas circunstâncias, se uma pessoa quer parecer mais atraente, ela deve ser vista na companhia de um indivíduo *menos* atraente. Esse fenômeno ajuda a explicar o comportamento de possíveis compradores que visitam um apartamento decorado à venda. O comprador sai de sua própria casa, que é satisfatória pela manhã. Após passar o dia olhando apartamentos decorados, ele volta para aquilo que agora percebe como uma casa não atraente. A casa original se torna menos atraente porque ele a compara com os apartamentos mais elegantes que viu recentemente.

A LEI DA AUTOESTIMA

As pessoas gostam de se associar a indivíduos que exibem níveis elevados de autoestima. Portanto, tais indivíduos possuem mais facilidade para atrair os outros e fazer amigos. Indivíduos com autoestima elevada também são confiantes e se sentem confortáveis sendo o centro das atenções. Também se sentem confortáveis para fazer revelações sobre si mesmos, que é uma base importante para criar relações próximas.

Para pessoas com autoestima elevada, a rejeição faz parte da vida e não influencia o valor que fazem de si mesmos. Por outro lado, pessoas com baixa autoestima não gostam de revelar informações pessoais. Sua inabilidade para fazer isso serve como um mecanismo de defesa contra críticas e rejeição. Revelar informações pessoais é o caminho para uma relação mais próxima; infelizmente, para uma pessoa com baixa autoestima esse é o "caminho mais evitado".

Ironicamente, é o medo de revelar informações pessoais que pode levar à rejeição, justamente aquilo que a pessoa com baixa autoestima quer evitar.

Existe uma linha tênue entre autoestima e arrogância. Pessoas arrogantes geralmente se sentem superiores e se distanciam dos outros. Por essa razão, são percebidos como "diferentes". Como resultado, a probabilidade de atração mútua se reduz significativamente, exceto com outras pessoas arrogantes que compartilham suas atitudes e comportamentos.

Na sociedade americana, homens e mulheres geralmente definem sua autoestima de maneiras diferentes. Em termos gerais, os homens derivam sua autoestima e condição social de sua habilidade de ganhar dinheiro, impressionar as mulheres e possuir objetos caros, como carros e propriedades. Por outro lado, embora o mercado americano passe por uma mudança significativa com mais mulheres se formando na faculdade do que homens, ainda é verdade que muitas mulheres derivam sua autoestima e condição social de sua beleza física, juventude e relações com os outros. Essas diferenças ficam evidentes quando apresentadores de TV pedem a participantes para descreverem brevemente a si mesmos. Homens geralmente descrevem suas ocupações ("sou um eletricista"), enquanto mulheres descrevem suas relações ("sou esposa e mãe de três filhos"). Com mais mulheres trabalhando fora do lar, elas também provavelmente começarão a se identificar com suas profissões ao invés de suas relações.

Quando se trata de estabelecer relações amorosas de curto ou longo prazo, mulheres de status elevado (jovens e fisicamente atraentes) tendem a se juntar a homens de status elevado (potencial para ganhar dinheiro e renda disponível). Esse padrão de formação de casais é semelhante às estratégias típicas de acasalamento. Homens escolhem mulheres jovens e fisicamente atraentes para assegurar a procriação, e mulheres escolhem homens ricos para alcançar a segurança necessária para criar os filhos. Homens com baixa autoestima tendem a escolher mulheres menos atraentes, e mulheres com baixa autoestima tendem a escolher parceiros com menos renda disponível.

Às vezes, indivíduos de menor status podem "fingir" um status mais elevado numa tentativa de estabelecer relações com pessoas "fora de sua alçada". Por exemplo, um homem pode fingir ter muito dinheiro comprando vários presentes caros para uma mulher, dirigindo um carro que não pode comprar ou gastando um dinheiro que não possui. Essa estratégia, embora eficaz no curto prazo, geralmente termina catastroficamente com o passar do tempo, quando o real valor do indivíduo aparece.

NÃO CONTE COM ISSO

Um dos meus alunos me contou sobre uma tática comum entre seus amigos quando saíam à noite. No caminho do bar, eles paravam num caixa eletrônico de algum grande banco e vasculhavam os comprovantes até encontrarem alguns com saldo particularmente grande. Então guardavam esses comprovantes no bolso para usarem mais tarde. Depois, se algum deles encontrasse uma garota acima de seu nível financeiro, ele casualmente escrevia seu número de telefone no comprovante, criando a ilusão de que era um homem rico.

A LEI DA DISPONIBILIDADE (ESCASSEZ)

As pessoas são atraídas por indivíduos e coisas que elas não conseguem obter imediatamente. No caso de coisas, a atração se dá quando o objeto cobiçado está fora de alcance. Quando o objeto de desejo finalmente é conquistado, essa atração diminui rapidamente. Presentes de Natal nos dão um bom exemplo desse fenômeno. Os brinquedos que as crianças cobiçam por todo o ano são descartados alguns dias após a manhã de Natal. A lei da disponibilidade também é verdadeira para a interação humana, principalmente nos estágios iniciais de uma relação. Aquela dica sobre namoros que a sua mãe lhe contou possui mérito científico. Um indivíduo não deve se disponibilizar imediatamente para a pessoa desejada. Um certo nível de indisponibilidade fará de você um pouco mais misterioso e desafiador.

Lembra de Vladimir, o espião sobre quem discutimos na introdução deste livro? Como você pode se lembrar, após dias lendo o jornal silenciosamente, ele me perguntou por que eu continuava aparecendo todos os dias. Dobrei o jornal, olhei para ele e disse: "Porque quero conversar com você". Então eu imediatamente retornei para o jornal e continuei ignorando-o. Esse gesto aumentou ainda mais sua curiosidade e criou escassez. Finalmente, ele decidiu falar comigo, mas eu o ignorei, aumentando seu impulso de querer conversar.

QUANTO MAIS PROIBIDO, MAIOR O DESEJO

Os pais conhecem muito bem esta lei! Se você disser para seu filho não fazer uma coisa, ele vai querer fazer isso ainda mais. Minha própria filha passou por uma fase rebelde na adolescência. Uma vez ela trouxe um jovem rapaz para nos conhecer em casa. Ele tinha cabelo espetado, tatuagens cobrindo a pele exposta e uma moto. Eu cordialmente o cumprimentei, sem dizer o que realmente sentia sobre ele ou o quanto estava desapontado com a escolha da minha filha.

No dia seguinte, ela me perguntou o que eu achava do jovem rapaz. Eu queria pedir que ela nunca mais o encontrasse novamente, mas sabia que, se aumentasse essa restrição, ela ficaria mais motivada para continuar saindo com ele. Ao invés disso, escolhi uma estratégia. Disse a minha filha que sua mãe e eu a tínhamos educado para fazer bons julgamentos e que confiávamos em suas decisões. Se ela sentisse que o rapaz era uma boa pessoa em sua vida, apoiaríamos sua escolha.

Nunca mais vi o rapaz.

Dez anos se passaram. Minha filha agora tem 26 anos. Nós estávamos na cozinha lembrando de sua adolescência. Para minha surpresa, ela mencionou aquele rapaz. Admitiu que o levou para casa para irritar sua mãe e a mim por alguma intransigência nossa que ela já não lembrava qual era. Também admitiu que, quando eu disse que confiava em seu julgamento, sua consciência pesou. Sabia que o rapaz não era certo para ela, e estava errada em levá-lo para casa apenas para nos irritar. Comentou sobre a ironia de querer nos deixar bravos quando, no fim, foi ela quem sentiu culpa. Demorou dez anos para eu descobrir que minha estratégia havia funcionado. Fiquei aliviado ao saber que sim.

A LEI DA ESTRADA ESBURACADA

Quando duas pessoas se encontram e não gostam imediatamente uma da outra, principalmente num contexto romântico, mas depois formam uma conexão, elas constroem uma relação mais próxima do que se tivessem se dado bem num primeiro momento. Esse fenômeno é destacado frequentemente em comédias românticas. No cenário mais comum, um homem conhece uma mulher. O homem não gosta da mulher e vice-versa. Antes de o filme acabar, eles se tornam romanticamente envolvidos. Uma estrada romântica esburacada leva a uma relação mais intensa.

UMA NOVA ESTRATÉGIA PARA AMACIAR O CHEFE: ENDURECER COM O CHEFE

Lembro-me de uma vez em que fui designado para uma nova supervisora. Ao invés de recebê-la de braços abertos, como fizeram os outros membros da minha equipe, permaneci distante de propósito e exibi uma linguagem corporal neutra e levemente negativa. Gradualmente, com cada conversa que tínhamos, comecei a exibir dicas não verbais mais positivas. Completei a virada alguns meses mais tarde dizendo a ela que a considerava uma boa supervisora e respeitava suas fortes habilidades de gestora. Daquele dia em diante, formamos uma relação mais próxima do que se eu tivesse aceitado sua presença imediatamente. Essa relação próxima me deu uma distinta vantagem quando eu pedia recursos para as investigações, tempo de descanso e outros favores.

A LEI DA PERSONALIDADE

Existem literalmente centenas de "tipos" ou "características" identificadas na literatura científica e popular. Elas se referem a padrões consistentes de comportamento exibidos por um indivíduo em seu dia a dia. Quando alguém diz "aquele indivíduo simplesmente não é do meu tipo", essa pessoa pode estar comentando sobre a aparência física ou as crenças (por exemplo, religiosas ou políticas). Entretanto, em muitos casos ela se refere à personalidade do indivíduo, que não é congruente com a sua própria.

Dois tipos universais de personalidade, extroversão e introversão, são de particular interesse quando se trata de interação pessoal e o desenvolvimento de relações de curta ou longa duração.

Extrovertidos, quando comparados com introvertidos, parecem mais atraentes porque são vistos como confiantes e gregários. Antes de entrar em qualquer tipo de relação, é útil saber se a pessoa que você quer conhecer tende à extroversão ou introversão, pois isso lhe dará uma ideia do tipo de comportamento que pode esperar.

Se você for um extrovertido e a pessoa que deseja conhecer for introvertida, espere encontrar diferenças inerentes na maneira como vocês percebem o mundo. Extrovertidos tiram energia no contato com os outros e buscam estímulo no ambiente ao redor. Geralmente falam espontaneamente sem pensar. Eles não hesitam em usar o método da tentativa e erro para atingir um objetivo. Por outro lado, os introvertidos gastam energia quando interagem socialmente e buscam um tempo sozinhos para recarregar as baterias. Buscam estímulo em seu interior e raramente falam sem pensar. Também pesam cuidadosamente suas opções antes de tomar alguma decisão.

Os extrovertidos mantêm uma grande variedade de relações; entretanto, essas relações tendem a ser relativamente superficiais. Introvertidos, por outro lado, têm poucas relações, mas que possuem mais profundidade. Introvertidos que namoram extrovertidos buscam uma relação mais próxima, com a qual os extrovertidos estão menos dispostos a se comprometer. Essa inabilidade de alcançar um nível mutuamente satisfatório de comprometimento destaca as diferenças, o que em última instância reduz a atração entre ambos.

Extrovertidos usam o fluxo de consciência para se comunicar. O que pensam, eles falam. Essa espontaneidade geralmente cria problemas, principalmente com introvertidos que pensam antes de falar e se constrangem mais facilmente quando extrovertidos soltam algum comentário sobre algo pessoal. Se você for um introvertido que está pensando em se envolver com um extrovertido, prepare-se para surpresas quando se trata de suas palavras.

Geralmente, introvertidos e extrovertidos se comportam diferentemente em situações sociais. Extrovertidos tendem a ser mais abertos quando não conhecem muitas pessoas. Introvertidos tendem a se sentir desconfortáveis em grandes grupos de pessoas desconhecidas. Entretanto, quando estão na companhia de amigos ou se sentem confortáveis com o ambiente ao redor, eles também podem se abrir do mesmo modo que os extrovertidos (ao menos por um tempo).

Um método para determinar se uma pessoa é extrovertida é começar uma frase e deliberadamente parar por alguns segundos. Extrovertidos geralmente completam a frase para você, diferentemente dos introvertidos. O mesmo método pode ser usado para determinar se você estabeleceu uma conexão com um introvertido. Quando introvertidos se sentem confortáveis com as pessoas, eles geralmente completam as frases da mesma maneira que os extrovertidos. A diferença no uso desse método é que você pode identificar os extrovertidos mesmo se não souber qual o perfil da pessoa com quem está falando. Para testar a conexão com um introvertido, você precisa primeiro determinar esse perfil em seu ouvinte.

Lembro-me de um caso que passei meses investigando. Informações pessoais e biográficas foram coletadas com muita dificuldade para determinar que tipo de personalidade o suspeito possuía. Baseado nessas informações, criei uma estratégia de investigação que se encaixava em sua personalidade. A chave para o sucesso da operação era nossa secretária. Sua tarefa era fazer um telefonema para o suspeito, o que iniciaria a operação. Ensaiei com ela até que se sentisse confortável com seu papel. Ela telefonou, mas o suspeito não mordeu a isca imediatamente. Eu disse a ela para conversar casualmente para tranquilizá-lo. A conversa se tornou muito casual e o suspeito relaxou, mas, infelizmente, a secretária também. O suspeito perguntou onde ela trabalhava. Ela respondeu de repente: "Trabalho no FBI". Então a operação secreta acabou. No verdadeiro estilo de um extrovertido, a secretária falou sem pensar.

PERSONALIDADE E COMPRAS

Se você é um vendedor, considere se seu cliente é extrovertido ou introvertido antes de oferecer algo. Lembre-se de dar tempo aos introvertidos para pensarem. Eles internalizam a informação, a remoem por dentro e só então chegam a uma decisão. Pressionar um introvertido a uma decisão rápida pode forçá-lo a dizer não, pois ele não se sente confortável tomando decisões imediatas. Por outro lado, você pode pressionar até certo ponto um extrovertido para comprar seu produto "agora mesmo", pois eles se sentem mais confortáveis tomando decisões impulsivas.

Raramente as pessoas exibem características puramente extrovertidas ou introvertidas. Traços de personalidade se dividem num espectro. Algumas pessoas exibem níveis quase iguais de extroversão e introversão; entretanto, a maioria das pessoas possui uma tendência para um ou outro lado, e se comportam de acordo com essa característica.

Introvertidos podem agir como extrovertidos quando necessário. Se, por exemplo, um introvertido tem um emprego onde é preciso conversar com muitas pessoas, ele pode fazer isso, embora precise gastar mais energia do que o normal. Além disso, quando sai do trabalho, ele volta a se comportar como introvertido. Esses estilos de vida contrastantes raramente entram em conflito porque o mundo do trabalho de um indivíduo e sua vida pessoal normalmente não se sobrepõem.

O mesmo pode ser dito quando se trata de relações pessoais. Se um introvertido age como extrovertido quando encontra alguém pela primeira vez, essa pessoa geralmente ficará surpresa quando ele voltar a seu comportamento normal. Revelar sua verdadeira identidade quando conhecer alguém é muito melhor do que fingir ser algo que não é, se você quiser desenvolver uma relação forte e sadia.

A LEI DOS ELOGIOS

As pessoas gostam de receber elogios. Elas se sentem bem consigo mesmas e, de acordo com a Regra de Ouro da Amizade, se sentirão bem em relação a você. O resultado: maior chance de fazer um amigo ou reforçar uma amizade existente.

Elogios, para serem eficazes, devem ser sinceros e merecidos. Elogiar alguém quando você não acredita de verdade naquilo que está dizendo ou quando o ouvinte não merece é algo que pode danificar uma boa relação.

Steve Goodier comenta: "Elogios sinceros não custam nada e podem conquistar muito. Em qualquer relação, eles são o aplauso que refresca o ambiente". Use elogios quando tiver a oportunidade; eles funcionam e são uma ferramenta eficaz para se construir uma amizade.

5
FALANDO A LÍNGUA DA AMIZADE

Em última instância, o combustível de todo companheirismo, seja num casamento ou numa amizade, é a conversa.
— OSCAR WILDE

No Capítulo 2, você aprendeu que pode usar *comunicação não verbal* para fazer amigos. Em certo sentido, esses "sinais amistosos" liberam o caminho para você abordar seu alvo e causar uma impressão positiva. Entretanto, esses sinais, sozinhos, não são suficientes para sustentar uma relação. Para isso, comunicação verbal é necessária e, de fato, as palavras que você diz, e aquelas ditas para você, irão não apenas desempenhar um papel maior ao se iniciar uma amizade como também irão impactar a longevidade e a força das amizades que você conquistar.

Se você for lembrar apenas uma coisa sobre como fazer amizades pela comunicação verbal, que seja isto: *Quanto mais você puder encorajar a pessoa a falar, quanto mais puder ouvir o que ela tem a dizer, quanto mais exibir empatia e responder positivamente a seus comentários, maior será a probabilidade de que a pessoa se sinta bem consigo mesma, gostando de você como resultado.* Isso significa que quando EU quero VOCÊ como amigo, quero que saiba que estou interessado naquilo que você tem a dizer e, além disso, quero dar bastante tempo para que diga.

ÓTIMA INVENÇÃO, BOA INTENÇÃO, MENÇÃO ERRADA, ALTA DISCÓRDIA

Considere o seguinte cenário, que poderia facilmente acontecer em organizações pelo mundo. Esse cenário ilustra o poder da comunicação verbal em determinar a eficácia de uma relação. Também demonstra o quanto as palavras que usamos podem fazer a diferença entre sucesso e fracasso ao se fazer amigos e alcançar nossos objetivos.

Stacey, uma recém-formada na faculdade, conquistou uma posição cobiçada numa prestigiosa empresa de produtos químicos. Ela completou cada tarefa com paixão e habilidade. Manteve-se atualizada com novas descobertas e sempre buscou técnicas novas e mais baratas para os processos da empresa.

Um dia, Stacey descobriu um método inovador para reduzir o custo de produção de um composto químico. Foi um grande avanço e ela correu para seu diretor para relatar a descoberta.

Ela mal podia conter seu entusiasmo quando entrou no escritório de seu chefe, e nem mesmo se sentou antes de revelar a novidade: "Você esteve produzindo esse composto totalmente errado. Descobri um jeito novo e mais barato de fazer!"

Para sua surpresa, o diretor de Stacey dispensou sua descoberta com um aceno da mão e a repreendeu dizendo para se concentrar no trabalho. Devastada, Stacey voltou para seu cubículo e jurou nunca mais tomar uma iniciativa.

Infelizmente, Stacey nunca entendeu por que sua ideia foi rejeitada. Na realidade, suas intenções eram boas, mas o jeito como comunicou a ideia não foi apropriado. A comunicação é muito mais do que transmitir ideias; engloba também como transmitir ideias em situações do mundo real. Stacey não considerou alguns princípios básicos da comunicação bem-sucedida. Na declaração de Stacey para seu diretor, ela cometeu vários erros que o fizeram rejeitar sua ideia.

1. *"Se eu estou certo, então você está errado."* As pessoas raramente consideram as consequências de declarações como "eu estou certo" ou "do meu jeito é melhor". Se você estiver certo, então a outra pessoa automaticamente deve estar errada. Se o seu jeito é melhor, então o jeito da outra pessoa automaticamente deve ser pior. O paradigma "eu estou certo e você está errado" força as pessoas a assumirem uma postura defensiva para proteger o ego e a reputação, ou por várias outras razões. Uma pessoa forçada a uma postura defensiva por tais declarações tem menos chance de considerar novas ideias, muito menos adotá-las.

2. *Nós contra eles, ou eu contra você*. Stacey usou os pronomes *você* e *eu*. O uso desses pronomes cria uma situação de conflito. O paradigma *eu* e *você* coloca uma pessoa contra outra. No caso de Stacey, ela involuntariamente criou uma relação de oposição entre ela e seu chefe. Esse tipo de situação cria vencedores e perdedores. Os vencedores conquistam; os perdedores são deixados para lamber as feridas. Relações de oposição resultam em competição com sentimentos negativos, que não são favoráveis a uma comunicação eficaz.

3. *Dissonância cognitiva*. Dissonância cognitiva acontece quando uma pessoa defende duas ou mais crenças conflitantes ao mesmo tempo. Quando as pessoas experimentam dissonância cognitiva, a sensação não é agradável: elas se tornam frustradas, irritadas e experimentam desequilíbrio psicológico. Na situação de Stacey, ela involuntariamente criou uma dissonância cognitiva em seu chefe. Se Stacey estiver certa, então seu chefe está errado. Se Stacey estiver certa, então ela é esperta e seu chefe não é tão esperto. Pessoas que experimentam a dissonância cognitiva possuem várias opções para retomar o equilíbrio. No caso de Stacey, seu chefe poderia admitir que ela está certa e ele está errado. Ou ele poderia tentar convencer Stacey de que seu método está correto e o método dela não é viável. Finalmente, ele poderia dispensar Stacey como uma funcionária sem experiência que precisa ser colocada em seu lugar. O chefe de Stacey escolheu a última opção para resolver a dissonância. Quando alguém experimenta dissonância cognitiva, o resultado raramente é positivo.

4. *Ego*. As pessoas são naturalmente egocêntricas; elas pensam que são o centro do mundo. Stacey demonstrou seu foco quando usou a palavra "eu". Ela se colocou acima de seu chefe, atacando assim involuntariamente seu ego. Diante de tal desafio, sua reação foi previsível. "Sou gerente há vinte anos. Quem essa estudante inexperiente pensa que é? Ela precisa comer muito feijão antes de invadir minha sala e dizer que venho

trabalhando errado por todos esses anos. Precisa voltar para seu cubículo e obedecer às ordens." Nesse exemplo, o ego do gerente passou por cima do senso comum e dos interesses da empresa. Egos já machucaram mais pessoas e destruíram mais boas ideias do que se pode imaginar.

APRENDENDO A MANTER SEU EGO CONTROLADO

Em vez de dizer "Você esteve produzindo esse composto totalmente errado. Descobri um jeito novo e mais barato de fazer!", Stacey deveria ter empregado princípios psicológicos para moldar sua comunicação. Um jeito mais adequado de informar o chefe de sua descoberta seria: "Senhor, gostaria de seu conselho sobre algo que faria nossa empresa mais rentável".

Abordar o gerente como "senhor" é um sinal de respeito e demonstra que Stacey enxerga seu chefe como um superior. A frase introdutória "eu gostaria do seu conselho..." realiza cinco objetivos. Primeiro, Stacey cria um ambiente de inclusão. O gerente sente que foi incluído no processo. Segundo, a dissonância cognitiva é evitada, aumentando assim a chance de que ele se abra para novas ideias. Terceiro, a ilusão do gerente de que é o centro das atenções será inflada. Ele provavelmente pensaria: "É claro, Stacey está procurando meu conselho porque sou inteligente e possuo vinte anos de experiência". Quarto, essa frase introdutória poderia cultivar uma relação de mentor e aprendiz. Se isso for alcançado, então o sucesso de Stacey também se torna sucesso do gerente. Quinto, mostrar respeito e reconhecer sua experiência faz o gerente se sentir bem. Isso atende à Regra de Ouro da Amizade. "Se você fizer outras pessoas se sentirem bem, elas gostarão de você."

As pessoas que gostam de você provavelmente serão mais abertas às suas sugestões. O uso das palavras "nossa empresa" sinaliza que Stacey possui equidade emocional na organização e sabe trabalhar em equipe. Sua declaração "tornar nossa empresa mais rentável" é bastante atraente, principalmente se o gerente receber crédito por aumentar os lucros. Quando ele der o seu conselho, passará a fazer parte da criação da ideia. Quando indivíduos sentem que fazem parte dos criadores de um bom projeto, abraçam-no com entusiasmo.

O BOLO DA GLÓRIA

O lado ruim para Stacey ao usar essa declaração com seu chefe é que ela terá que dividir o "bolo da glória" com ele. A princípio, isso pode não parecer justo, já que Stacey teve a ideia e sente que deveria receber todo o crédito (com razão). O problema é que as pessoas raramente levam em consideração um dos benefícios de compartilhar a glória: a boa vontade. A glória possui um prazo de validade curto; a boa vontade dura muito mais. Uma boa ideia produz um grande bolo que pode ser dividido em muitos pedaços. Distribuir livremente os pedaços aumenta sua simpatia, coloca as pessoas em dívida com você e lhe dá aliados, caso precise de ajuda no longo prazo.

O GATO, O RATO E O METRÔNOMO

Ouvir o que outra pessoa está dizendo pode ser algo difícil, principalmente para os extrovertidos. Eles ficam tão ocupados pensando sobre o que querem dizer, interrompendo o falante ou deixando a mente vagar que literalmente não ouvem o que está sendo dito. Obviamente, uma pessoa não pode responder adequadamente à mensagem de outra pessoa se não receber ou processar essa mensagem. É realmente possível "bloquear" a fala de uma pessoa e não ouvi-la? Sim. Isso foi demonstrado num experimento conduzido há mais de uma década.

Psicólogos conduziram alguns experimentos realmente estranhos e moralmente suspeitos com animais. Nessa investigação particular, eletrodos foram implantados na área auditória do cérebro de um gato. Depois eles não alimentaram o gato por alguns dias. O gato faminto foi colocado numa sala com um metrônomo, um instrumento que soa um bipe regularmente. Também na sala havia um osciloscópio, do tipo que traduz sons em pontos numa tela, semelhante aos batimentos cardíacos representados no eletrocardiograma.

O que aconteceu? Sempre que o metrônomo soava um bipe, o eletrodo no cérebro do gato captava o sinal e enviava esse sinal para o osciloscópio. Tradução: o gato ouvia o bipe. Você pode estar pensando que não é um experimento tão dramático; dificilmente justificaria deixar o gato faminto e fazê-lo passar por uma operação.

Mas tem mais, e aqui o experimento se torna interessante. Um rato foi introduzido na sala. O gato imediatamente voltou sua atenção para a refeição em potencial, observando cada movimento do roedor com intenso interesse. E aqui vai a surpresa: a tela do osciloscópio parou de mostrar os bipes! O metrônomo ainda estava funcionando, o som ainda entrava pelo ouvido do gato, mas por algum motivo o animal conseguiu bloquear o som no seu cérebro. O gato, basicamente, não estava mais ouvindo o som do metrônomo. Ele estava tão focado no rato que foi capaz de bloquear os sons que estava "ouvindo".

Isso acontece também com os humanos. Nós somos capazes de bloquear aquilo que uma pessoa está dizendo. O resultado disso tudo: só porque uma pessoa está falando com alguém não garante que o ouvinte esteja escutando.

A maneira para ter certeza que você está ouvindo o que uma pessoa está dizendo é prestar atenção aos pronunciamentos verbais. Isso é chamado de *ouvir ativamente* e é algo que você deve praticar se quiser usar o comportamento verbal como ferramenta para construir amizades.

Quando se trata de estabelecer e construir amizades pelo comportamento verbal, preste atenção nas seguintes regras: ouça, observe, vocalize, enfatize. Essas são as regras que você deve seguir se quiser maximizar as chances de fazer amigos com o uso da comunicação.

REGRA N. 1 - OUÇA: PRESTE ATENÇÃO QUANDO AS PESSOAS FALAM PARA QUE VOCÊ FIQUE TOTALMENTE CIENTE DO QUE ESTÃO DIZENDO

Ouvir é mais do que simplesmente permanecer em silêncio enquanto seu alvo fala. Ouvir envolve o foco total naquilo que está sendo dito. Uma vez que podemos pensar quatro vezes mais rápido do que uma pessoa normal consegue falar, existe uma tentação de deixar nossos pensamentos voarem. Resista a essa tentação.

Quem fala consegue perceber se a pessoa está ouvindo ou não. A melhor maneira para focar no discurso do falante e, ao mesmo tempo, transmitir não verbalmente que você está prestando atenção é manter contato visual. Isso também é um sinal amistoso que ajuda a construir conexões mais fortes. Você não precisa encarar o falante para conseguir isso; entretanto, mantenha contato visual durante dois terços ou três quartos do tempo em que ele está falando para estabelecer um grau apropriado de conexão e para indicar que você está atento. Faça um esforço consciente para *não* interrompê-lo. Pessoas extrovertidas precisam ter um cuidado especial com isso, já que possuem a tendência de começar a falar antes de o falante terminar e, além disso, terminar suas frases para apressar a troca de vez na conversa.

As pessoas gostam de indivíduos que os deixam falar, principalmente quando o assunto são eles próprios. Como notou um escritor desconhecido: "Amigos são aquelas raras pessoas que perguntam como você está e depois esperam para ouvir a resposta". Sábio conselho!

A declaração empática é a ferramenta perfeita para demonstrar que você está ouvindo. Para formular uma boa declaração empática, você deve ouvir o que a pessoa está dizendo ou observar sua disposição emocional ou física. Parafrasear o que a pessoa disse mantém o foco naquele indivíduo. Por exemplo, se você precisar de ajuda numa loja e observar que o vendedor parece cansado, você pode não receber o serviço que espera. Para aumentar a probabilidade de receber um bom serviço, você pode usar uma declaração empática como: "Parece que você teve um dia cheio" ou "O dia foi longo. Parece que você está pronto para ir para casa". Essas declarações empáticas demonstram ao vendedor que você tomou um tempo para notar sua disposição pessoal e, mais importante, quer fazê-lo se sentir bem. Durante conversas casuais, as pessoas tendem a não ouvir a pessoa falando. Mesmo uma conversa chata pode ser melhorada usando declarações empáticas. Por exemplo, seu colega de trabalho está falando animado sobre o fim de semana no lago. A menos que você o tenha acompanhado, a experiência pode não interessá-lo. Uma declaração empática como "parece que você gostou da viagem" irá fazer o falante saber que você está ouvindo e está interessado no assunto. Declarações empáticas são o tempero das conversas. Se tornar as declarações empáticas um hábito, você forçará a si mesmo a ouvir com mais cuidado as outras pessoas. Como consequência, elas se sentirão bem e passarão a gostar de você.

Lembre-se, indivíduos gostam de falar sobre si mesmos e se sentem bem quando as pessoas os ouvem verbalizando seus pensamentos, o que nos leva de volta para a Regra de Ouro da Amizade. Quando você faz uma pessoa se sentir bem, ela ficará mais disposta a gostar de você e aceitá-lo como amigo.

GANHANDO A CONFIANÇA EM MENOS DE DEZ MINUTOS

Este é o título de um artigo escrito por um anestesista chamado Scott Finkelstein. No artigo, ele descreve as dificuldades de enfrentar problemas de vida ou morte diariamente e enfatiza a importância da comunicação entre paciente e médico ao lidar com crises médicas. "Dou minha atenção total para cada paciente", explica o Dr. Finkelstein. "Mantenho contato visual. Ouço. Entendo seus sentimentos... O medo se desfaz. E então eles passam a confiar em mim. Tudo em menos de dez minutos."

Dar oportunidade para uma pessoa falar, ouvir o que ela tem a dizer sem interrompê-la e exibir sinais não verbais demonstrando seu interesse podem fazer uma grande diferença, seja para ganhar a confiança de um paciente ou a amizade de uma pessoa.

REGRA N. 2 - OBSERVE: NUMA INTERAÇÃO NÃO VERBAL, CERTIFIQUE-SE DE OBSERVAR A PESSOA ANTES, DURANTE E DEPOIS DE RECEBER E TRANSMITIR INFORMAÇÃO

Sempre que você interage com outra pessoa, a comunicação acontece em dois níveis: verbal e não verbal. Antes, durante e depois da interação verbal é importante que você observe os sinais não verbais e a linguagem corporal da outra pessoa, uma vez que podem servir como um barômetro para avaliar se uma conversa é apropriada, como uma conversa em andamento está progredindo, que impacto a conversa teve após terminar e também servir como um alerta caso algo que foi dito seja considerado questionável. Inclinação para trás, cruzar os braços sobre o peito e apertar os lábios são bons indicadores não verbais de que a conversa não está sendo bem recebida. As pessoas tendem a se distanciar de coisas que não querem ver ou ouvir. É o oposto da dica não verbal de se inclinar para frente discutida anteriormente. Cruzar os braços sobre o peito é um gesto bloqueador, que pode indicar que a pessoa quer simbolicamente ou fisicamente bloquear o que está vendo ou ouvindo. Outros sinais de distanciamento: olhar ao redor, olhar para o relógio, virar os pés, torso ou ambos na direção da porta ou outras partes da sala. Quando você nota a outra pessoa começando a se distanciar da conversa, mude o assunto. Você provavelmente está passando tempo demais falando sobre si mesmo, sem focar nela.

É importante observar o comportamento não verbal mesmo antes de qualquer tentativa de iniciar a conversa. É claro, a importância da observação não acaba aí. Se os sinais não verbais de alguém indicarem que uma conversa pode ser iniciada, então deixe acontecer. Apenas não pense que isso é motivo para parar de observar! Observação contínua durante uma interação verbal é crucial para perceber qualquer problema em potencial que poderia passar batido.

Isso é particularmente verdade quando se trata de "palavras explosivas". Palavras significam coisas diferentes para pessoas diferentes. Quando algumas expressões são usadas elas podem, como uma mina terrestre, explodir uma relação em desenvolvimento. Quando uma pessoa fica ofendida por uma dessas palavras explosivas, ela normalmente não diz nada sobre seu desconforto, mas simplesmente começa o processo de distanciamento e/ou saída da relação. Entretanto, seu comportamento não verbal geralmente dá uma indicação clara de que algo ruim foi dito. Ela pode estremecer, pode exibir uma expressão de choque ou surpresa no rosto ou pode dar um passo para trás. Um interlocutor processando informação nos níveis verbal e não verbal perceberá esses sinais e geralmente poderá salvar o dia perguntando se disse algo ofensivo e, se for o caso, assegurando ao ouvinte que a intenção não foi essa. Um esclarecimento sobre o significado da palavra para cada pessoa pode geralmente acalmar os ânimos, permitindo retomar a conversa. O perigo das palavras explosivas é que não sabemos os significados emocionais que alguns atribuem a palavras que para outros são inócuas.

FOI ALGO QUE EU DISSE?

Um amigo meu estava dando uma palestra sobre técnicas de interrogatório para um grupo de participantes de um seminário. Em certo ponto, ele disse: "As pessoas precisam escutar mais do que falar. A prova disso é que Deus deu a você dois ouvidos e uma boca, então você deveria ouvir o dobro do que fala".

Durante a pausa para o lanche, a anfitriã da conferência se aproximou e o informou que uma queixa fora registrada contra ele pela Comissão de Oportunidades Iguais de Emprego. Ela queria saber o que aconteceu exatamente. Meu amigo ficou pasmo. Ele não tinha ideia de quem teria registrado a queixa nem o motivo disso.

Acontece que um dos participantes possuía um filho nascido com apenas um ouvido, e quando meu amigo fez o comentário sobre "dois ouvidos e uma boca", esse pai pensou que ele estava tirando sarro de seu filho.

Assim que soube da circunstância da queixa, meu amigo explicou para a anfitriã que seu comentário era apenas um truísmo que existe há décadas, e que ele não tinha intenção nenhuma de atingir ninguém.

A anfitriã não se convenceu. "Se o pai ficou ofendido", ela disse, "precisamos nos preocupar com sua perspectiva, e não se você acha a frase ofensiva ou não."

Meu amigo achou toda aquela situação absurda. Ele não considerava que tinha feito algo de errado e certamente não queria se desculpar com o pai por algo que via como uma linguagem perfeitamente aceitável.

Mas a anfitriã não quis saber. "Se quiser manter seu trabalho de consultor, você precisa se desculpar com o pai."

Diante desse ultimato, meu amigo decidiu que o melhor a fazer era mesmo se desculpar.

QUANDO NADA É PRETO E BRANCO

A sala de aula é um ambiente particularmente propício para palavras explosivas serem usadas por um professor incauto. Duas razões para isso são a diversidade dos estudantes e o grande número de inscritos em qualquer curso em particular. Quando se trata de questões raciais, os professores precisam ser cuidadosos com suas aulas para não disparar uma palavra explosiva que signifique coisas diferentes para pessoas diferentes. Em uma de minhas aulas, eu não conseguia ligar meu laptop. Sempre que tentava ligar aparecia uma tela preta. Então perguntei aos meus alunos: "Alguém sabe como fazer essa coisa funcionar?". Um aluno assentiu, se aproximou do laptop, fez alguns ajustes e me entregou de volta. Eu disse: "Bom, a tela está branca, ao menos branco é melhor do que preto".

Um aluno negro imediatamente se ofendeu com meu comentário. "Ouvi você dizer que branco é melhor do que preto", ele disse. "Esse é um comentário racista."

Não tive intenção de fazer um comentário racista. Isso nunca passou pela minha cabeça. Eu estava ansioso para fazer meu laptop funcionar para que pudesse dar minha aula. Meu comentário se referia ao funcionamento do laptop. Uma tela preta indicava que o laptop não estava iniciando. Uma tela branca indicava que o laptop estava iniciando. Em outras palavras, um laptop iniciando é melhor do que um laptop que não inicia. Sim, meu aluno ouviu o comentário sob uma perspectiva diferente, e isso disparou uma resposta emocional. Assim é a natureza das palavras explosivas.

Uma professora me relatou outro bom exemplo disso. Ela dava um curso sobre gerência internacional, o que significa a presença de um grande número de estudantes estrangeiros. No começo de uma aula, quase no meio do semestre, um aluno americano se aproximou de outro aluno e o cumprimentou dizendo "E aí, cachorrão?". O aluno que recebeu o cumprimento quase socou o americano. Acontece que o aluno ofendido era estudante do Oriente Médio, onde ser chamado de "cachorro" é considerado uma grande ofensa.

Palavras explosivas. Fique de olho nelas e esteja preparado para tratar a relação machucada rápida e diretamente para minimizar os danos. Vale a pena repetir: o perigo das palavras explosivas é que o falante não sabe qual significado emocional os outros atribuem a essas palavras. Portanto, nunca sabe quando uma palavra pode "explodir". Se, como comentamos anteriormente, o falante não observar o ouvinte, ele pode não perceber uma possível ofensa.

Mesmo percebendo que uma resposta negativa foi disparada, a maioria dos falantes, em vez de tentar consertar a situação, tende a responder defensivamente à explosão emocional inesperada, o que infelizmente apenas intensifica a resposta inicial do interlocutor. Um falante que dispara uma palavra explosiva e reage defensivamente quando confrontado com um ouvinte irritado é geralmente visto como insensível e sem compaixão. Mas o falante geralmente fica confuso, sem saber o que fazer ou dizer para acalmar o ouvinte.

Declarações empáticas são a melhor maneira para reagir a uma palavra explosiva. Elas capturam os sentimentos de uma pessoa e os refletem, usando linguagem paralela. Declarações empáticas reconhecem as emoções da pessoa sem a necessidade de entrar na defensiva.

Como você deve se lembrar de um capítulo anterior, a fórmula básica para formular declarações empáticas é "então você...". Essa abordagem básica mantém o foco na outra pessoa e longe do indivíduo que disparou a bomba. As pessoas naturalmente tendem a dizer algo como "Eu entendo como você se sente". Isso leva a outra pessoa a automaticamente pensar *Não, você não entende como me sinto porque eu não sou você.*

Declarações empáticas permitem que os indivíduos ventilem suas emoções. Uma vez que as emoções acumuladas são liberadas, a conversa pode geralmente voltar ao normal. Evitar uma discussão acalorada aumenta a probabilidade de que a relação tenha uma chance de sobreviver e crescer.

Uma vez que você dispare uma palavra explosiva, aprenda com isso. Certifique-se de plantar uma bandeira vermelha para evitar detonações no futuro. Infelizmente, o problema das palavras explosivas dificilmente desaparecerá num futuro próximo. De fato, o mundo virtual no qual vivemos está coberto com perigosas palavras explosivas. Você nunca pode ter certeza de quando pisará numa delas. Relações pessoais são mais difíceis de iniciar e manter quando o terreno verbal está minado com palavras explosivas, escondidas ou não.

Percalços na comunicação provavelmente aumentarão nos próximos anos porque as pessoas usam cada vez mais as mídias eletrônicas como e-mails e mensagens de texto para se comunicar. Símbolos como parênteses, pontos e vírgulas que formam sorrisos ou piscadelas geralmente pontuam frases para atribuir dicas adicionais para o leitor sobre o significado real da comunicação. Emoticons também são usados para esclarecer mensagens. Quando as mensagens de texto se tornaram populares, eu me lembro de uma troca de mensagens com minha filha. Ela respondeu com as letras "LOL". Eu respondi, "Eu também te amo". Sua resposta foi: "Haha. LOL significa *laugh out loud* [rindo alto]". Eu escrevi de volta: "Pensei que fosse *lots of love* [muito amor]". Sua última mensagem foi: "Eu também te amo, papai". Meu engano com minha filha terminou bem, mas demonstra o perigo das falhas de comunicação quando as pessoas não recebem dicas não verbais para guiar a conversa. Quando usar as mídias eletrônicas para se comunicar, não use sarcasmo, ironia ou palavras de duplo sentido se quiser evitar a possibilidade de falha na comunicação.

A melhor maneira para manter sua comunicação verbal eficaz num mundo cheio de palavras explosivas é:

1. Pense sobre as palavras que você usará antes de falar. Vasculhe com antecedência por possíveis palavras explosivas que você deve eliminar do seu discurso.
2. Observe seus ouvintes procurando por qualquer reação anormal enquanto você fala. Isso pode indicar que uma palavra explosiva foi usada.
3. Não se torne defensivo ou irritado se um ouvinte se tornar agitado por causa de uma palavra explosiva (mesmo que você não soubesse).
4. Imediatamente tente descobrir se o desconforto do ouvinte é resultado da detonação de uma palavra explosiva. Se for o caso, peça desculpas por usar a palavra ou frase, explique que você não conhecia a conotação negativa e reafirme que nunca mais usará a palavra novamente com ele. Então, cumpra a promessa.

LÁBIOS FRANZIDOS

Ninguém pode ler mentes, mas é possível chegar perto disso observando as dicas não verbais. Algumas são mais óbvias do que outras. As dicas óbvias são mais fáceis de perceber e interpretar. Igualmente, elas são mais fáceis de ser controladas, camuflando, assim, pensamentos reais. Dicas não verbais sutis são mais difíceis de controlar e revelam informações mais íntimas. Os lábios são uma área do corpo que pode revelar sinais sutis.

Franzir os lábios é um gesto quase imperceptível (ver a foto seguinte). Esse gesto sinaliza dissensão ou discordância. Quanto mais pronunciado, mais intensa será a discordância. Lábios franzidos significam que a pessoa formou um pensamento oposto àquilo que está sendo dito ou feito.

Saber o que uma pessoa está pensando lhe dá uma vantagem. O segredo é mudar os pensamentos do ouvinte antes que ele tenha oportunidade para articular a oposição. Uma vez que uma opinião ou decisão seja expressa em voz alta, mudar a ideia do interlocutor se torna mais difícil por causa do princípio psicológico da consistência. A tomada de decisões causa tensão em certo nível. Quando alguém toma uma decisão, a tensão se dissipa. A pessoa fica menos propensa a mudar de ideia, porque para fazer isso teria que admitir que a primeira decisão foi errada, causando assim tensão. Manter uma posição articulada causa menos tensão do que passar pelo processo de tomada de decisão novamente, independentemente do quão persuasivo for o argumento para a mudança. Em outras palavras, quando as pessoas dizem algo, elas tendem a permanecer consistentes com aquilo que foi dito.

Lábios franzidos.

Observar os lábios também é útil quando você conversar com seu cônjuge, colegas e amigos já que é uma dica não verbal universal que nos diz o que a pessoa está pensando. Entretanto, um lábio franzido *não* é um sinal inimigo; alguém pode estar feliz com você e usar esse sinal mesmo assim.

Novamente, lembre-se de por que observar o ouvinte é tão crucial: uma vez que o ouvinte articula uma resposta negativa para a sua ideia ou sugestão, ou vocaliza um comentário negativo, o princípio da *consistência* entra em ação, significando que agora será muito difícil que ele mude de ideia. Os lábios franzidos permitem que você veja uma resposta negativa se formando, permitindo rebatê-la antes mesmo de ser verbalizada, o que melhora a chance de sua ideia ser aceita.

Você pode usar esse sinal não verbal para ajudar a aumentar sua eficácia comunicativa em casa e no trabalho. Como exemplo, considere a seguinte declaração para sua esposa:

"Querida, posso mostrar como podemos comprar um barco [ou algo que você queira comprar]. Quero sair para pescar."

Quando começa a apresentar seu argumento financeiro, você percebe sua esposa franzindo os lábios. Ela formou uma frase em sua mente oposta àquilo que você está dizendo. (Seus lábios estão dizendo que ela não quer que você assalte sua bolsa!) Agora você sabe que precisa produzir uma justificativa adicional antes que ela possa articular sua objeção; se não fizer isso, a proclamação tornará mais difícil a compra do barco ou de qualquer outro item caro que você deseje. Isso também se aplica aos homens.

QUANDO SEU CHEFE FRANZE OS LÁBIOS

No trabalho, eu estava sempre tentando conseguir dinheiro ou pessoal para alguma operação. As duas coisas eram escassas, e eu precisava competir pelos recursos. Lembro uma vez quando estava explicando para meu chefe por que eu precisava de dinheiro para um projeto em particular e percebi seus lábios franzidos. Agora eu sabia que ele estava pensando numa frase negativa, e precisava mudar sua ideia antes que ele tivesse a chance de dizer não. Se ele rejeitasse verbalmente minha proposta, conseguir seu apoio seria quase impossível.

Numa tentativa de prevenir uma rejeição verbal, usei uma declaração empática. "Chefe, aposto que você está pensando que essa ideia não vai funcionar, mas deixe-me explicar por que vai funcionar". Eu sabia exatamente qual era o ponto em que ele discordava, pois seus lábios se apertaram quando fiz uma afirmação específica. Sabendo sobre o que o incomodava, minha declaração me deu algum tempo para responder sua preocupação e convencê-lo de que minha ideia valia a pena antes que falasse algo.

Na próxima vez que você apresentar um projeto ou proposta para seu supervisor, observe quando os lábios se apertam. Se o supervisor franzir os lábios durante sua apresentação, você saberá que ele já está formando um pensamento em oposição ao seu projeto. Assim que enxergar os lábios franzidos, você deve tentar mudar sua opinião antes que ele vocalize a oposição. Tenha uma declaração empática a postos. Tente: "Então você não acha que o que estou dizendo faz muito sentido. Deixe-me repetir algumas coisas que mostrarão que meu projeto é a melhor opção". Você reconhece as dúvidas do seu supervisor e apresenta argumentos para mudar sua opinião antes que ele vocalize o pensamento negativo.

Mordendo os lábios.

MORDENDO OS LÁBIOS

Outra técnica para "ler a mente de alguém" é observar uma mordida nos lábios. Esse gesto consiste numa leve mordida ou puxão do lábio inferior ou superior usando os dentes. Esse sinal não verbal indica que a pessoa tem algo a dizer, mas está hesitante, por várias razões. Daí que a velha expressão "dobre a língua", significando que você deve ficar de boca fechada e não dizer nada, vai na direção correta. Eu frequentemente vejo lábios mordidos quando dou aulas. Considero um sinal para formular uma declaração empática como "parece que vocês querem acrescentar alguma coisa" para encorajar os alunos a se expressarem. A maioria deles se surpreende quando percebem que posso ler suas mentes, e se sentem bem sobre si mesmos porque eu estava prestando atenção neles.

COMPRESSÃO DOS LÁBIOS

A compressão dos lábios possui um significado semelhante à mordida, mas com uma conotação mais negativa. Uma compressão dos lábios ocorre quando os lábios superior e inferior são pressionados juntos com força. A compressão indica que o ouvinte tem algo a dizer, mas está relutante. Pouco antes de os suspeitos confessarem, eu geralmente via uma compressão dos lábios. Eles queriam dizer algo, mas pressionavam os lábios juntos para impedir que as palavras escapassem.

Compressão dos lábios.

Tocando os lábios

Tocar os lábios com as mãos, dedos ou objetos indica que o ouvinte está se sentindo desconfortável sobre o assunto discutido. Estimular os lábios momentaneamente chama sua atenção para longe do assunto sensível e, assim, reduz a ansiedade. Suspeitos geralmente sinalizavam involuntariamente que a pergunta que eu fazia era desconfortável. Percebendo a dica silenciosa, eu construía uma declaração empática como "você parece um pouco desconfortável falando sobre esse assunto". O suspeito confirmava ou negava que estava desconfortável e, na maioria dos casos, dava razões para o que estava sentindo.

O toque nos lábios demonstra que a pessoa está se sentindo desconfortável.

Esse sinal pode ser usado com eficácia em negócios e situações sociais. Por exemplo, se estiver numa reunião apresentando um novo produto e perceber seu cliente levemente esfregando os lábios com os dedos, tome nota. Ao ver essa dica não verbal, você deve formular uma declaração empática como "isso pode parecer um pouco demais porque você nunca usou este produto antes", para permitir ao cliente expressar qualquer preocupação que possa ter sobre o produto que você está oferecendo. Uma vez que tenha identificado o problema, você pode adaptar a apresentação para vender o produto com mais eficiência.

Em situações sociais, você pode evitar momentos constrangedores ao observar a pessoa com quem está falando. Se introduzir um assunto delicado e perceber o ouvinte franzindo ou comprimindo os lábios, é melhor mudar de assunto antes que a situação piore. Você pode retornar ao assunto com segurança quando tiver construído mais conexão.

REGRA N. 3 - VOCALIZE: A MANEIRA COMO VOCÊ VOCALIZA E O QUE VOCALIZA AFETARÃO SUA EFICÁCIA AO FAZER E MANTER AMIGOS

O jeito como você diz algo pode às vezes ser tão importante quanto a própria mensagem. De importância particular é o *tom da voz*, que transmite informação ao ouvinte independentemente daquilo que está sendo dito. Atração e interesse, por exemplo, são comunicados muito mais pelo tom de voz do que pelas palavras.

A MANEIRA COMO VOCÊ FALA INFLUENCIA COMO OS OUTROS PERCEBEM SUA MENSAGEM... E VOCÊ

O tom de voz pode transmitir mensagens que as palavras sozinhas não conseguem. Uma voz profunda e grave transmite interesse afetivo. Uma voz aguda transmite surpresa ou ceticismo. Um tom de voz alto dará a impressão de que você é arrogante. O tom de voz que você usa pode conquistar os outros ou afastá-los num instante.

A velocidade da sua voz também regula as conversas. Falar rápido acrescenta uma sensação de urgência ou pode agir como um mecanismo para finalizar uma interação tediosa. Arrastar uma palavra pode sinalizar interesse. Atores em filmes geralmente arrastam o cumprimento "olá" para sinalizar interesse romântico. Inversamente, um tom lento e monótono sinaliza falta de interesse ou timidez extrema no falante. Por outro lado, uma voz lenta e suave com inflexão normal transmite empatia. Ouço esse tipo de comunicação muitas vezes em funerais ou durante tragédias.

A maioria dos pais aprende a controlar o comportamento dos filhos com inflexões no tom de voz. Eu geralmente falo com meus filhos num tom de voz grave e lento ao expressar meu descontentamento. Assim como muitos pais, se eu ficava extremamente irritado, arrastava o nome e o sobrenome do filho, e isso funcionava bem. Pronunciar a palavra "bom" rapidamente expressa aprovação.

O tom de voz transmite a parte emocional da sua mensagem. Tenho um sotaque de Chicago e possuo a tendência de abreviar minhas palavras. Quando estou em Chicago, abreviar as palavras passa despercebido, pois todos fazem isso. Entretanto, quando viajo para outras partes do país, as pessoas percebem isso como arrogância e sinal de desconsideração. O sarcasmo também pode ser mal interpretado sem o tom certo na voz, que permite ao ouvinte saber que existe um significado oculto na mensagem. É por isso que ele deve ser evitado em e-mails e mensagens de texto.

Entonação da voz também desempenha um papel importante na troca de turno. Baixar a voz no final de uma sentença sinaliza que você terminou de falar e agora é a vez da outra pessoa. Se o falante baixar a voz no final de uma sentença e continuar a falar, o ouvinte se tornará frustrado, pois pensará que é sua vez de falar. Dominar uma conversa viola a Regra de Ouro da Amizade ao manter o foco da conversa em você em detrimento da outra pessoa.

Por outro lado, começar a falar quando a outra pessoa ainda não deu uma "dica de troca de turno", mesmo que ela tenha terminado uma sentença, pode prejudicar o desenvolvimento da amizade. Violar a etiqueta da conversação pode causar irritação e possui um efeito prejudicial na construção da amizade.

Desenvolva o hábito de pausar por um segundo antes de falar, principalmente se você é um extrovertido. Essa pausa dá aos introvertidos uma chance de juntar seus pensamentos. Lembre-se de que os introvertidos costumam pensar antes de falar. Se você interromper seus pensamentos, eles tendem a se tornar frustrados e, consequentemente, a gostar menos de você. A pausa dá aos extrovertidos tempo para pensar sobre o que querem dizer. Esse hábito já me salvou de muitos momentos constrangedores.

O QUE VOCÊ DIZ INFLUENCIA COMO OS OUTROS PERCEBEM SUA MENSAGEM... E VOCÊ

Isso pode parecer senso comum e, de certo modo, é mesmo. Nosso foco agora recai sobre falar certas coisas ou falar de certa maneira que não se usa para fazer ou manter amigos. Aqui vão algumas estratégias para fazer ou manter amigos em situações cotidianas, estratégias que você normalmente poderia ignorar ou subestimar, prejudicando assim suas relações.

Estratégia nº 1: Quando você está certo e alguém está errado, dê ao indivíduo uma maneira de aceitar seu erro com o mínimo de constrangimento e/ou humilhação. A pessoa irá gostar muito mais de você por causa do seu esforço para alcançar isso.

O ser humano possui uma necessidade inerente de estar certo, mas estar certo traz algumas consequências não intencionais. Uma delas é a perda da amizade se a pessoa que está certa não dá à pessoa errada uma saída digna dessa situação.

Aprendi isso da maneira mais difícil enquanto apresentava uma palestra sobre como escrever relatórios para um grupo de oficiais de justiça. Antes de começar a palestra, conversei com vários participantes sobre suas práticas na escrita dos relatórios. Um participante apontou seu supervisor, dizendo que ele era o guru dos relatórios. Os outros participantes concordaram e fizeram vários comentários como "ele realmente é bom nisso", "ele escreve muito bem", "ele nos força a usar uma variedade de palavras para dizer a mesma coisa" e "não sei o que faríamos sem ele".

Olhei para o supervisor. Seus olhos estavam acesos e ele sorria orgulhosamente. Essa conversa e a reação do supervisor foram uma bandeira vermelha que eu não percebi até ser tarde demais. A estima do supervisor consistia em ser identificado como o guru da gramática daquele grupo. Seu valor para a agência também vinha de sua reputação como um grande escritor.

Durante a palestra, demonstrei um método simples, mas eficaz, para escrever relatórios padronizados segundo o modelo do FBI. Vários participantes comentaram que começariam a usar o modelo porque era mais fácil e reduzia a possibilidade de os relatórios serem questionados no tribunal.

Fiquei surpreso quando o supervisor protestou. Ele argumentou que o método de escrita que eu estava ensinando podia funcionar para o FBI, mas não era adequado para sua agência. Declarou que era formado em língua inglesa e achava que relatórios criativos usando sinônimos eram mais interessantes do que relatórios que usavam as mesmas palavras várias vezes. Eu então cometi o erro fatal de encenar uma conversa para provar que eu estava certo e, consequentemente, ele estava errado. Perguntei quais sinônimos ele usaria para o verbo *disse*. Ele ofereceu as seguintes alternativas: *contou, explicou, mencionou*. Eu o interrompi e pedi para que encenasse o papel da testemunha no tribunal, enquanto eu encenaria o papel do advogado de defesa. Ele concordou. A conversa seguiu assim:

Eu (advogado de defesa): Por favor, defina a palavra *disse* como foi usada em seu relatório.

Supervisor (oficial de justiça): Expressar um fato com certeza.

Eu (advogado de defesa): Obrigado. Como você definiria a palavra *explicou* usada em seu relatório?

Supervisor (oficial de justiça): Falar sobre.

Eu (advogado de defesa): Obrigado. Então, o que você escreveu é o que meu cliente inicialmente disse com certeza, e a segunda coisa que meu cliente não disse com certeza.

Supervisor (oficial de justiça): Não, não foi isso que eu quis dizer. O suspeito disse as duas coisas com certeza.

Eu (advogado de defesa): Não foi isso que você escreveu. Segundo as suas próprias definições das palavras *disse* e *explicou*, você está dizendo que a primeira declaração foi dita com certeza e a segunda declaração não foi dita com certeza. Isso está correto?

Supervisor (oficial de justiça): Não, as duas declarações foram ditas com certeza.

Eu (advogado de defesa): Se as duas declarações foram ditas com certeza, então por que você não usou a palavra *disse* nas duas sentenças?

Supervisor (oficial de justiça): Hum. Não sei.

Falando a língua da amizade 145

Eu provei meu argumento, mas foi uma vitória de Pirro. Meu desejo de estar certo fez tudo dar errado. Daquele ponto em diante, a tensão na sala ficou óbvia. Forcei os participantes a escolherem entre um método mais eficiente e o método menos eficiente do supervisor. É claro, eles ficaram do lado do supervisor.

As consequências não intencionais de se estar certo ocorrem todos os dias nos escritórios e lares pelo país. Nós involuntariamente irritamos nossos chefes, colegas, amigos e cônjuges e causamos tensão e conflitos desnecessários.

Existe um jeito melhor. Você pode estar certo sem destacar o erro de alguém. Em vez de afirmar seu direito de estar certo, peça pelo conselho da outra pessoa. Isso permite a ela fazer parte do processo de tomada de decisão. Além disso, ela se sentirá bem, pois você pediu seu conselho, o que eleva a pessoa a uma posição honrada.

Usar a estratégia do conselho ainda permite a você estar certo, permite conseguir os resultados que você quer e mantém (ou aumenta) a amizade com o indivíduo, que agora possui uma saída para manter sua dignidade e evitar ser visto como "errado".

A seguinte conversa entre um funcionário e seu chefe ilustra a técnica do conselho. O funcionário encontrou um erro numa nova política controversa preparada por seu chefe. Em vez de confrontar o supervisor com a "verdade", ele buscou seu conselho.

Funcionário: Você tem um minuto, chefe?
Chefe: Claro.
Funcionário: Eu estava revisando seu texto e notei uma coisa. Gostaria do seu conselho sobre isso.
Chefe: Deixe-me dar uma olhada.

O funcionário pode agora apontar a discrepância, e seu chefe terá a oportunidade de esclarecer seu erro sem constrangimento.

Vendedores podem usar a mesma técnica quando encontram velhos ou novos clientes. Representantes de editoras de livros educativos regularmente visitam meu escritório tentando vender novos livros para uso nas minhas aulas. Em vez de personalizar sua abordagem, eles me dizem como seu livro é melhor do que aquele que estou usando no momento. O vendedor poderia estar certo, mas existem consequências não intencionais nessa abordagem. Ele está insinuando que meu julgamento ao escolher os livros foi ruim. Essa ideia não me faz sentir bem. Ficaria mais disposto a ouvi-lo se ele dissesse "Professor, gostaria de seu conselho sobre este novo livro criado para ser usado em seu curso".

MANTENDO A DIGNIDADE E ESCAPANDO DA DELEGACIA

Como agente do FBI, sempre temi o momento em que estaria voando para alguns dias de férias e então seria chamado para lidar com algum passageiro irritado ou alguma crise. Bom, isso aconteceu num voo às seis da manhã saindo de Los Angeles. Eu havia embarcado e estava sentado quieto quando uma aeromoça apareceu e disse que havia um passageiro bêbado na parte de trás do avião de quem o capitão queria se livrar. Olhei ao redor e avistei o passageiro cambaleando no corredor, com outra aeromoça gritando com ele. "Desça do avião... você é um idiota." Lá se foi qualquer tentativa de acalmar a situação. A aeromoça me disse: "Você é agente do FBI, tire ele do avião".

Já que a situação estava armada, pensei que poderia usar um pouco do meu treinamento. Então me aproximei de onde o homem estava. Disse-lhe que era agente do FBI, mostrei meu distintivo e credenciais, e sugeri que sentássemos para conversar. Ele não estava tão bêbado a ponto de não me entender. Sentou-se e eu me acomodei no assento vazio ao seu lado.

"Olha", eu disse, num tom de voz suave que seria difícil para outra pessoa ouvir, "você vai descer do avião. Quando o capitão diz que você precisa desembarcar, não há nada que possa fazer para mudar isso. Mas você tem uma escolha. Você pode desembarcar e manter sua dignidade, pode registrar sua queixa quando chegar ao terminal e completar sua viagem para Dallas num voo mais tarde... ou serei forçado a prendê-lo, colocar algemas e expulsá-lo do avião. Então você irá para a prisão, terá que pagar fiança para sair, depois terá que voltar para Los Angeles, onde será julgado e poderá acabar tendo que cumprir uma sentença na cadeia. Assim, senhor, a escolha é sua. Eu vou permitir que tome a decisão. Pense um pouco sobre isso. O que você quer fazer?"

Levou apenas um instante para o passageiro dizer: "Acho que vou descer, registrar minha reclamação e pegar outro voo para Dallas".

Eu disse: "Acho uma decisão muito inteligente. Vou acompanhar você até lá".

Depois de acompanhar o homem até o terminal e voltar para meu lugar, a aeromoça se aproximou querendo saber como consegui acabar com uma situação daquelas de forma tão pacífica. Eu disse que dei ao passageiro a oportunidade de tomar sua própria decisão.

Dei-lhe a oportunidade de sentir que possuía algum controle da situação e que estava livre para escolher seu destino. E, mais importante, dei-lhe uma maneira de sair do avião mantendo sua dignidade, com o mínimo de constrangimento possível.

ALGO PARA PENSAR

Dar a alguém a sensação de possuir algum controle sobre uma situação pode funcionar muito bem, mesmo com crianças. De fato, os pais podem usar essa abordagem para ajudar seus filhos a tomar decisões, principalmente quando são jovens. Crianças, assim como adultos, querem sentir que possuem controle sobre suas vidas. A ilusão de controle pode ser transmitida se os pais derem aos filhos a oportunidade para escolher seu destino. Isso pode ser alcançado sem perda de autoridade. Por exemplo, quando você leva seu filho para almoçar. Você já decidiu que o lugar será o McDonald's ou o Burger King. Você não quer que seu filho escolha outro restaurante, porém quer que ele pratique tomar as próprias decisões. Isso pode ser feito com uma pergunta do tipo: "Vamos almoçar. Você quer ir ao McDonald's ou ao Burger King?". Uma pergunta desse tipo dá ao seu filho a ilusão de controle, mas quem possui mesmo o controle é você, pois limitou a escolha entre dois restaurantes.

Vendedores usam o tempo todo esse tipo de pergunta com duas alternativas. Quando você vai a uma concessionária, um bom vendedor não perguntará se você quer comprar um carro. Ele perguntará se você gosta de carros azuis ou vermelhos. Se responder carros azuis, o vendedor irá mostrar carros azuis, se responder vermelho, ele mostrará carros vermelhos. Se responder uma cor diferente, então o vendedor mostrará um carro dessa cor. Bons vendedores propiciam ao cliente a sensação de que está no controle da experiência de compra, quando na verdade é o vendedor que está direcionando uma apresentação bem ensaiada.

Estratégia nº 2: Use a técnica verbal da "elevação de status" para fazer as pessoas se sentirem bem sobre si mesmas e enxergarem você como um amigo. Elevação de status é uma técnica que satisfaz o desejo de um indivíduo por reconhecimento. Descobri essa abordagem um dia quando estava com meu filho, Bryan, numa livraria. Uma autora estava autografando livros numa mesa em frente à loja. Não havia ninguém na mesa, então Bryan e eu nos aproximamos para conversar. Enquanto meu filho conversava com ela, folheei seu livro, e notei que seu estilo me lembrava Jane Austen. Mencionei isso a ela. Seus olhos se acenderam e seu rosto corou. Ela respondeu: "É mesmo? Não tenho muito tempo para escrever. Tenho três filhos. Meu marido é militar e passa muito tempo fora. Eu queria voltar para a faculdade para conseguir meu diploma. Parei de estudar para me casar. Foi um erro do qual sempre me arrependerei". Por causa de um comentário, essa mulher estava contando sua história de vida como se eu fosse um velho amigo.

Tentei essa técnica várias vezes com os mesmos resultados. Uma vez, conheci um candidato do partido republicano. Após conversarmos sobre política por vários minutos, comentei que seu estilo de política me lembrava o de Ronald Reagan. O rapaz inflou o peito e me contou sobre sua infância, sobre o tempo na faculdade e muitos outros detalhes pessoais que indicavam que ele me enxergava como alguém digno de amizade. Elevação de status pode ter a forma de um simples elogio.

CUIDANDO DE UM PROBLEMA DE PICHAÇÃO NA ESCOLA

Certa vez, interroguei o zelador de uma escola sobre algumas pichações racistas que tinham aparecido durante a noite. No começo da entrevista, tentei construir alguma conexão. Comentei que ele possuía um trabalho importante cuidando sozinho de um prédio tão grande. Ele me contou sobre como desenvolveu um sistema que permitia cumprir várias tarefas ao mesmo tempo ao seguir os caminhos mais curtos pelo prédio. Respondi dizendo que a maioria das escolas daquele tamanho precisaria de vários zeladores para realizar o trabalho que ele fazia usando aquele sistema (eu estava dando uma oportunidade para ele se sentir orgulhoso).

Enquanto conversávamos, ficou claro que eu havia desenvolvido uma sólida conexão com o zelador. Ele explicou detalhadamente como criou sua rotina de trabalho, e acabou contando histórias dos professores e funcionários. As histórias eram interessantes, mas inúteis para minha investigação. Mas ouvi mesmo assim, e ganhei um amigo no processo. Eu lhe entreguei meu cartão e pedi que me ligasse se soubesse de qualquer informação nova sobre o incidente.

Várias semanas depois, o zelador me ligou contando um rumor que ouviu de um dos estudantes. O rumor provou ser verdade e levou à apreensão dos responsáveis pela pichação.

Dificilmente o zelador me ligaria para contar sobre o rumor se eu não tivesse desenvolvido uma boa conexão com ele durante nossa única entrevista.

Estratégia n° 3: Se quiser conseguir informações sem levantar suspeitas ou colocar a pessoa na defensiva, use a abordagem da *investigação*, na qual você aplica dispositivos para obter informações sem que ela perceba seu propósito.

As pessoas geralmente hesitam diante de perguntas diretas, principalmente quando tocam assuntos sensíveis. Se você quer que as pessoas gostem de você, use a investigação indireta para encorajá-las a revelar informações sensíveis sem a necessidade de um interrogatório.

Fazer perguntas coloca o ouvinte na defensiva. Ninguém gosta de um intrometido, principalmente quando o encontra pela primeira vez. Ironicamente, essa é a hora em que você precisa do máximo de informações possível sobre seu alvo. Quanto mais informações tiver, mais será capaz de desenvolver estratégias para cultivar relações pessoais e de negócios.

A investigação indireta consiste na habilidade de obter informações sensíveis de uma pessoa sem que ela perceba que as está entregando. Durante minha carreira no FBI, treinei agentes para obter informações sensíveis de suspeitos enquanto, ao mesmo tempo, mantinham uma boa conexão com eles. As características da investigação indireta são:

1. Poucas perguntas, ou mesmo nenhuma pergunta, prevenindo assim uma reação defensiva.

2. O processo é indolor, porque seu alvo não percebe que está revelando informações sensíveis.
3. Os ouvintes gostarão de você porque você está entregando sua total atenção.
4. Eles agradecerão a você por ser tão gentil e provavelmente entrarão em contato no futuro, o que oferece mais uma oportunidade para recolher informações adicionais.

A investigação indireta funciona porque é baseada em necessidades humanas.

A NECESSIDADE HUMANA DE CORRIGIR: USANDO A INVESTIGAÇÃO INDIRETA ATRAVÉS DE DECLARAÇÕES PRESUMÍVEIS

As pessoas têm necessidade de estarem certas, mas possuem uma necessidade ainda maior de corrigir os outros. A necessidade de estar certo e/ou corrigir os outros é quase irresistível. Fazer *declarações presumíveis* é uma técnica de investigação indireta que apresenta um fato provável, que pode estar certo ou errado. Se ela for correta, o ouvinte irá confirmar o fato e geralmente acrescentará informações adicionais. Se estiver errada, ele fará a correção, geralmente acompanhada por uma explicação detalhada de *por que* está errada.

Recentemente eu estava comprando uma joia, mas não queria pagar o preço do varejo. Para negociar o melhor preço, precisava saber a margem de lucro da joalheria e a comissão do vendedor. Por razões óbvias, esse tipo de informação é muito bem guardada. Eu sabia que se fizesse perguntas diretas sobre preços não receberia as respostas que precisava para negociar, então usei a investigação indireta para conseguir a informação que eu desejava.

Vendedor: Posso ajudá-lo?
Eu: Sim, estou procurando um pingente de diamante para minha esposa.
Vendedor: Temos muitos pingentes. Deixe-me mostrar alguns.

O vendedor me passou um mostruário de veludo com várias joias. Olhei intensamente para uma delas.

Eu: Quanto custa esta aqui?

Vendedor: Cento e noventa dólares.

Eu: Uau, a margem de lucro deve ser de no mínimo cento e cinquenta por cento. (declaração presumível)

Vendedor: Não. É só cinquenta por cento.

Eu: E em cima disso sua comissão de dez por cento. (declaração presumível)

Vendedor: Não é tudo isso. Fico apenas com cinco por cento.

Eu: Imagino que você não tenha autoridade para me dar um desconto. (declaração presumível)

Vendedor: Tenho autorização para dar dez por cento de desconto. Acima disso, o gerente precisa aprovar.

Nesse ponto, eu poderia aceitar os dez por cento ou pressionar ainda mais. Considerando as condições econômicas ruins da época, suspeitava que o gerente estaria disposto a me dar um desconto maior, desde que lucrasse.

Eu: Pergunte ao gerente se ele venderia esta peça com quarenta por cento de desconto. (Esperei pacientemente enquanto o vendedor foi para os fundos. Ele retornou alguns minutos depois.)

Vendedor: Ele disse que o melhor que pode fazer é trinta por cento, se você pagar em dinheiro.

Eu: É um presente para minha esposa.

Vendedor: Sem problema. Vou embrulhar para você. (Não apenas economizei 57 dólares, mas também recebi o embrulho de presente!)

Nesse caso, o uso da investigação indireta revelou informações valiosas. Descobri a margem de lucro (cinquenta por cento) e a comissão do vendedor (cinco por cento), o que me permitiu negociar com confiança. Se não quisesse negociar, eu poderia aceitar o desconto automático de dez por cento. Se o vendedor não tivesse divulgado essa informação, teria que pagar o preço normal. Baseado no comportamento do vendedor, ele não percebeu que revelou informações bem guardadas.

INVESTIGAÇÃO INDIRETA EMPÁTICA

A declaração empática é versátil porque pode ser combinada com técnicas de investigação indireta. Discutiremos duas técnicas de investigação indireta empática que são baseadas na necessidade humana de corrigir: a *declaração empática presumível* e a *declaração empática condicional*. Vendedores usam rotineiramente essas técnicas. Clientes ficam menos propensos a comprar algo de alguém que não gostam. Vendedores usam investigação indireta empática para conquistar dois objetivos. Primeiro, declarações empáticas rapidamente formam conexão, e segundo, investigação indireta empática recolhe informações que os clientes não revelariam normalmente sob questionamento direto.

DECLARAÇÃO EMPÁTICA PRESUMÍVEL

A declaração empática presumível mantém o foco da conversa no cliente e apresenta um fato como verdade. O fato apresentado pode ser verdade ou presumido independentemente de sua veracidade. Se for verdade, o cliente geralmente acrescentará novas informações para a conversa.

O vendedor pode então formular outra declaração empática baseada na resposta do cliente para obter mais informações. Se ela for falsa, o cliente geralmente irá corrigi-la. Veja o exemplo:

Vendedor: Posso ajudá-lo?
Cliente: Sim, preciso comprar uma lavadora nova.
Vendedor: Então sua lavadora velha está nas últimas? (empática presumível)
Cliente: Não, estou de mudança para um apartamento pequeno.
Vendedor: Ah, então você precisa de uma lavadora compacta. Deixe-me mostrar um modelo popular que temos aqui.
Cliente: Certo.

O vendedor ouviu o que o cliente disse, "Preciso comprar uma lavadora nova", o que sugeria que sua lavadora atual não estava funcionando bem. Usou a declaração empática presumível para manter o foco no cliente e encorajá-lo a confirmar ou negar a possibilidade

"Então sua lavadora está nas últimas?". O cliente corrigiu o vendedor dizendo "Estou de mudança para um apartamento pequeno". Essa informação extra identifica que tipo de unidade ele deve apresentar ao cliente. As palavras "preciso comprar" indicam que o cliente está pensando seriamente em fazer a compra; não está apenas olhando. O vendedor obteve fatos importantes durante a conversa de abertura. Primeiro, o cliente estava seriamente pensando em fazer a compra e, segundo, era possível saber exatamente qual categoria de lavadora era mais provável vender. Essa informação poupa o tempo do vendedor e do cliente. Este vai para casa com o produto que precisa e o vendedor ganha mais tempo para atender outros clientes.

Declaração empática condicional

A declaração empática condicional mantém o foco da conversa no cliente e introduz uma variedade de circunstâncias sob as quais ele compraria um produto ou serviço.

Vendedor: Posso ajudá-lo?
Cliente: Não, estou apenas olhando.
Vendedor: Então você ainda não decidiu que modelo quer comprar? (empática indireta)
Cliente: Preciso de um carro novo, mas não sei se posso comprar um.
Vendedor: Então você compraria um carro se encontrasse o preço certo? (empática condicional)
Cliente: Acho que sim.
Vendedor: Você gosta de carros azuis ou vermelhos?
Cliente: Azuis.
Vendedor: Vamos dar uma olhada em carros azuis na sua faixa de preço.

Em resposta à investigação indireta empática, o cliente identificou a razão que o impedia de comprar um carro. O vendedor então usou a abordagem da empática condicional. Ela mantém o foco no cliente e, ao mesmo tempo, prepara a condicional se/então: "Então você compraria um carro se encontrasse o preço certo?". A hipótese é de que o cliente irá comprar um carro se encontrar as condições corretas. Nesse caso, a condição é o preço. A condicional empática ajudou o vendedor a identificar o que impediria a compra. Com essa nova informação, ele pode indicar ao cliente os carros em sua faixa de preço.

A NECESSIDADE DE RETRIBUIR USANDO O PRINCÍPIO DO *QUID PRO QUO*

Quando as pessoas recebem algo, seja física ou emocionalmente, elas sentem a necessidade de retribuir dando algo de igual ou maior valor (a Lei da Retribuição). *Quid pro quo* é uma técnica de investigação indireta que encoraja as pessoas a retribuírem informações fornecidas. Por exemplo, você encontra uma pessoa pela primeira vez e quer saber onde ela trabalha. Ao invés de perguntar diretamente, diga primeiro onde você trabalha. As pessoas tendem a responder dizendo onde elas trabalham. Essa técnica pode ser usada para descobrir informações sem que você pareça intrometido.

Se não quiser que a pessoa saiba onde você trabalha, mas ainda esteja curioso sobre seu emprego, você pode conseguir essa informação e desativar a reciprocidade ao fazer a pergunta de um jeito diferente. Diga: "Qual é seu ofício?". Esta pergunta requer um processamento cognitivo adicional, e isso interrompe a necessidade de retribuir com a questão "Onde você trabalha?".

Eu usava muito a necessidade de retribuir quando interrogava suspeitos. Sempre oferecia algo para o suspeito beber, como café, chá, água ou refrigerante no começo da entrevista. Fazia isso para invocar a necessidade de retribuição. Em troca da bebida, eu esperava receber algo como informações ou uma confissão.

Durante sua conversa, você deve procurar algo em comum (a Lei da Semelhança) com a outra pessoa. Também deve usar declarações empáticas para manter o foco no indivíduo. Resumindo, você deve fazer a outra pessoa se sentir bem (a Regra de Ouro da Amizade), e, se for bem-sucedido, a pessoa irá gostar de você e buscará oportunidades futuras para compartilhar de sua companhia.

USANDO A ABORDAGEM DE TERCEIROS PARA DESCOBRIR COMO ALGUÉM REALMENTE SE SENTE

Em geral as pessoas relutam em falar sobre si mesmas e como se sentem em relação a alguém ou algo. Entretanto, são menos hesitantes em falar dos outros, talvez para evitar revelar informações demais sobre si mesmas. Você pode usar essa característica humana para descobrir informações muito bem guardadas (íntimas) sobre seu alvo. Isso é alcançado usando a técnica conhecida como *foco interno/externo*.

Aqui vai um exemplo de como a técnica funciona. A maioria dos casais numa relação monogâmica gostaria de saber se o parceiro possui predisposição para trair. Se você perguntar isso a ele, raramente ouvirá algo do tipo "Sim, não tenho problema algum com isso". Ele pode estar *pensando* isso, mas com certeza não dirá em voz alta.

Para descobrir o que ele realmente pensa sobre traição, você precisa abordar o assunto sob a *perspectiva de terceiros*. Em vez de perguntar diretamente "O que você acha da traição?", você deve dizer "Minha amiga Susan flagrou seu marido traindo, o que você acha disso?". Quando alguém é confrontado com a observação de uma terceira pessoa, tende a olhar para dentro de si para descobrir uma resposta, e acaba dizendo o que realmente pensa.

É claro, a resposta que você quer ouvir é "Trair é errado, eu nunca faria isso com você". Entretanto, esteja preparado para respostas como "Todo mundo trai hoje em dia", "Se uma esposa não consegue cuidar das necessidades do seu marido, que outra opção o homem tem?", "Se minha esposa me tratasse da mesma maneira, eu também trairia", "Não é surpresa, considerando que eles já não se davam bem ultimamente".

Essas respostas tendem a refletir o pensamento real sobre traição. O indivíduo nesse caso tende a pensar que traição é aceitável sob certas circunstâncias, e portanto está predisposto a trair quando essas circunstâncias surgirem. Essas respostas sobre "terceiros" não são completamente precisas, mas fornecem uma ideia da predisposição do parceiro, refletindo sentimentos verdadeiros muito melhor do que qualquer resposta que você receba de um questionamento direto.

ELE NÃO VALE SEU PESO

Uma aluna minha, Linda, estava numa relação séria com um jovem rapaz e vinha considerando o casamento. Ela lutava contra seu peso e se exercitava regularmente para manter a forma. Porém, sabia que eventualmente ganharia peso com a idade ou se engravidasse. Ela queria saber como seu namorado se sentiria se ela engordasse. Estava preocupada que ele tivesse algum problema com isso.

Um dia, Linda sugeriu ao namorado que eles assistissem ao programa de TV *O grande perdedor [The Biggest Loser]*. O programa mostra obesos mórbidos que passam por uma série de exercícios, dietas e mudanças de estilo de vida para perder peso. A pessoa que perde mais peso ao final ganha o prêmio. Na metade do programa, seu namorado soltou o seguinte comentário: "Se minha esposa chegasse a esse ponto, eu a chutaria para fora de casa".

A preocupação de Linda parecia justificada. Seu namorado estava comentando sob a perspectiva de uma terceira pessoa, então revelou seus reais sentimentos. Ela o testou perguntando diretamente: "Se eu engordasse, você me chutaria para fora de casa?". Previsivelmente, o namorado respondeu: "Não, querida, eu amaria você independentemente do seu peso".

Mas ao usar a técnica do *foco interno/externo*, Linda descobriu o que ele realmente pensava e decidiu terminar o namoro.

Se você tem filhos, pode usar essa técnica para vascular seus sentimentos sobre questões sensíveis. Por exemplo, digamos que você queira saber se eles estão usando drogas. Se perguntar diretamente, eles responderão dentro da norma social: "Não, é claro que não, drogas são nocivas".

A melhor maneira de descobrir o que seus filhos *realmente* pensam sobre drogas é perguntar sob a perspectiva de terceiros. Por exemplo: "O filho do meu amigo foi flagrado na escola com maconha. O que você acha disso?". Você quer ouvir: "Maconha é ruim e eu nunca usaria". Entretanto, esteja preparado para "Que idiota, ele nunca deveria ter levado na escola", "É só maconha", "Não é nada de mais, conheço muitos garotos que fumam maconha". Essas respostas indicam que seu filho pode estar usando maconha ou está predisposto a experimentar. Novamente, elas não são evidência infalível de que seu filho está usando drogas, mas fornecem uma ideia de sua predisposição.

REGRA N. 4 - ENFATIZE: USE DECLARAÇÕES EMPÁTICAS E OUTRAS OBSERVAÇÕES VERBAIS QUE DEIXEM O OUVINTE CIENTE DE QUE VOCÊ SABE COMO ELE SE SENTE

As pessoas desenvolvem sentimentos positivos por quem entende o que elas estão passando. Suas declarações empáticas e/ou declarações de preocupação enviam ao ouvinte a mensagem de que você compreende suas circunstâncias e percebe que aquilo que ele tem a dizer é importante. Fazendo isso, você estará preenchendo a necessidade do outro de ser reconhecido e apreciado. Isso o faz sentir-se bem consigo mesmo e em relação a você, o que encoraja o desenvolvimento da amizade.

Você ficará surpreso com a quantidade de chances que terá para usar declarações empáticas para começar conversas e fazer as pessoas gostarem de você. Tudo que é preciso é disposição para observar as pessoas por alguns momentos antes de falar com elas. O que você verá, mais frequentemente do que imagina, é o indivíduo dizendo ou fazendo algo que revela sua insatisfação com sua atual situação. Isso é especialmente verdade quando você lida com indivíduos que encontra apenas uma vez, ou em intervalos irregulares durante sua vida, como vendedores, funcionários etc.

Por exemplo, se comer num restaurante durante as horas mais concorridas, o serviço será apressado. Simplesmente dizer "nossa, você parece ocupado!" geralmente recebe uma resposta positiva e, junto com isso, um serviço melhor. O indivíduo irá apreciar que você tenha reconhecido as dificuldades de seu trabalho. Isso o faz se sentir melhor sobre si mesmo e ele irá gostar de você. Se quiser ser ainda mais empático, acrescente um elogio à sua declaração inicial. "Nossa, você parece ocupado! *Não sei como consegue*". Ou: "Nossa, você parece ocupado! *Eu nunca conseguiria lidar com todos esses pedidos*".

Você não precisa testemunhar o desconforto do seu alvo para fazer declarações empáticas eficazes. Basta você *inferir* que uma pessoa possa estar passando por dificuldades e gostaria de reconhecimento. Para ilustrar: quando já for tarde e se deparar com uma vendedora usando salto alto numa loja, você pode comentar: "Uau, você deve ficar cansada trabalhando em pé o dia inteiro". Provavelmente você estará certo, e a vendedora irá responder positivamente a seu comportamento empático.

Os pais podem usar declarações empáticas com eficiência quando querem encorajar os filhos a se abrir, principalmente quando são adolescentes. A maioria dos adolescentes não gosta de compartilhar informações e experiências com seus pais, por uma série de razões. Exigir, ameaçar ou bajular fará seu filho se fechar e se tornar mais resoluto em sua determinação de não falar com você.

Para evitar essa resposta não produtiva, use uma declaração empática como "parece que você está pensando sobre algo muito sério", "parece que algo está realmente chateando você", "você parece preocupado com algo". O adolescente pode responder de várias maneiras. Primeiro, pode concordar com você e revelar o que está pensando. Segundo, pode responder parcialmente. Nesse caso, construa outra declaração empática para provocar mais detalhes. A maioria dos adolescentes quer contar aos pais qual é o problema. Apenas precisam de um pouco de encorajamento e da sensação de que a conversa é escolha deles. A terceira reação é uma resposta curta e silêncio. Nesse caso, a declaração empática adequada poderia ser esta: "Você está incomodado com algo e não quer conversar sobre isso agora. Quando sentir que chegou a hora, me avise e então poderemos conversar".

Mostrar empatia por outra pessoa, seja com declarações empáticas ou outra forma de comentário verbal, é uma poderosa maneira para fazer um indivíduo se sentir bem e ao mesmo tempo transformá-lo num amigo. Na sua caixa de ferramentas da amizade, a empatia será uma das técnicas mais usadas e eficientes para moldar relações de sucesso. Aquilo que você diz e como você ouve são fatores cruciais para estabelecer ou destruir uma amizade.

EVITANDO ARMADILHAS NUMA CONVERSA

Para facilitar que uma pessoa goste de você, como já vimos antes, você deve encorajá-la a falar sobre si mesma enquanto ouve com atenção, para depois usar essa informação e escolher entre várias ferramentas da amizade para cimentar a relação. Por essa razão, a última coisa que você quer é *desencorajar* (geralmente sem intenção) o fluxo da comunicação entre você e a pessoa com quem deseja fazer amizade. Para manter a comunicação fluindo suavemente, fique longe de armadilhas comuns que impedem trocas verbais entre indivíduos.

1. Evite falar sobre assuntos que causem emoções negativas em seu ouvinte. Emoções negativas fazem as pessoas se sentirem mal e, consequentemente, gostarem menos de você.
2. Não reclame constantemente sobre seus problemas, sobre os problemas da sua família ou do mundo. As pessoas possuem problemas suficientes e não precisam ouvir os seus... ou de quem quer que seja.
3. Evite falar excessivamente sobre si mesmo. Falar demais sobre si mesmo chateia os outros. Mantenha o foco na pessoa com quem você está conversando.
4. Não se estenda em conversas banais; isso irrita as pessoas (e faz com que elas o desvalorizem).
5. Evite expressar muito ou pouca emoção. Exibição extrema de emoções pode fazer você ser mal visto.

JUNTANDO TUDO

Comportamento verbal é um fator vital para valorizar sua posição como alguém agradável. Aquilo que você diz, como ouve e como responde ao que ouve tem um grande papel em determinar o quão bem-sucedido você será ao fazer amigos e conseguir informações sem parecer intrometido. Usar as ferramentas descritas neste capítulo irá ajudá-lo a alcançar sucesso ao falar a língua da amizade. Você tem minha palavra!

6
CONSTRUINDO PROXIMIDADE

*Os edifícios mais altos precisam da
fundação mais profunda.*
— GEORGE SANTAYANA

Fazer amigos requer um agente de ligação particular para manter tudo junto: a conexão. Quando você "entra em harmonia" com outra pessoa, desenvolve conexão. Essa é a base a partir da qual a relação cresce. Como disse o escritor e palestrante Kevin Hogan: "Construir conexão começa com você". Se quer fazer amigos, é responsabilidade sua estabelecer uma conexão, e depois, se quiser continuar além de um breve encontro, precisa reforçar essa ligação para expandir a amizade numa relação de longo prazo.

Este capítulo possui todas as ferramentas para estabelecer e construir uma conexão, mas primeiro vamos voltar por um momento ao espectro amigo-inimigo.

AMIGO-ESTRANHO-INIMIGO

O espectro amigo-inimigo não faz distinção sobre os *níveis* de amizade possíveis entre não conhecer a pessoa por completo (estranho) e o amigo no final do espectro. Obviamente, tais diferenças existem, e elas ditam como a conexão deve ser desenvolvida em nossos encontros pessoais. Esses diferentes níveis de amizade serão descritos a seguir.

ESTRANHO-ENCONTRO CASUAL-CONHECIDO-AMIGO-RELAÇÃO ÍNTIMA

Olhando para o espectro da amizade, você pode ver que o nível de contato aumenta em importância, desde uma interação breve e pouco frequente, até uma relação com potencial para a vida inteira. Construir conexão se torna mais importante com a evolução no espectro de "encontro casual" para "relação íntima". Isso porque a interação se torna mais intensa e significativa quando pessoas que antes eram estranhas tornam-se parte integrante da vida um do outro.

Este capítulo foi criado para ajudá-lo a entender como e se você está construindo eficazmente a proximidade com as pessoas de seu interesse.

CONSTRUINDO A CONEXÃO

Somos seres sociais. Naturalmente buscamos nos conectar com outras pessoas. A conexão constrói uma ponte psicológica entre os indivíduos e abre caminho para que vários níveis de amizade se desenvolvam. Se eu puder construir uma conexão com você, poderei ter relativa certeza de que você irá gostar de mim. É simples assim.

Quando eu interrogava suspeitos e testemunhas, minha primeira tarefa era criar uma conexão psicológica com o indivíduo. As pessoas, principalmente os suspeitos, raramente se abrem a outros de quem não gostam. No caso dos suspeitos, precisava pedir que revelassem segredos que os colocariam na prisão por um longo tempo. Numa ocasião, interroguei um suspeito de crime sexual. Nós nos conectamos quando comecei a falar de esportes. Com a conexão estabelecida, fui capaz de me aprofundar em sua vida pessoal. Depois de um tempo, ele confessou os crimes. O suspeito voluntariamente manteve a conexão comigo muito tempo depois do julgamento, através de uma série de cartas não respondidas que me enviava. Nas cartas ele agradecia por ser seu amigo e tratá-lo com respeito. Tratar o suspeito com respeito foi possível; ser seu amigo era uma ilusão. Mesmo assim, suas cartas forneceram uma confirmação do poder da conexão entre as pessoas.

TESTANDO A CONEXÃO

Testar a conexão é importante em qualquer interação pessoal, porque nos mostra "como estamos indo" e "em que pé estamos" ao desenvolver uma relação. Mesmo num encontro único com alguém, principalmente se queremos algo dessa pessoa, testar a conexão é importante para determinar quando – e se – estamos num ponto onde podemos tentar alcançar nossos objetivos. Dito isso, testar a conexão é essencial quando estamos interessados em desenvolver uma relação mais próxima e duradoura com o tempo.

Às vezes acontece uma sobreposição entre os comportamentos que usamos para construir e testar a conexão. Nesses casos, o grau de intensidade dos comportamentos varia quando as relações se fortalecem ou enfraquecem e nos fornece uma medida objetiva da relação que se aprofunda ou que está morrendo. Por exemplo, o olhar é uma forma de construir conexão. A duração do olhar é usada para testar a conexão, fornecendo uma medida do quanto a relação se aprofundou ou deteriorou. Nos tópicos seguintes, veremos alguns dos comportamentos importantes que podem ser usados para testar o alicerce de uma amizade.

TOCAR

O toque representa um medidor confiável da intensidade de uma relação. Quando estranhos se encontram, eles geralmente tocam um ao outro no braço abaixo do ombro ou nas mãos, como já discutimos. Qualquer toque que ocorra fora dessa zona pública sugere uma relação mais intensa.

As mulheres que se sentem confortáveis com a pessoa com quem estão falando geralmente tocam de leve o braço ou o joelho, se os dois estão sentados. Esse leve toque indica que uma conexão foi estabelecida.

Os homens geralmente consideram erroneamente um toque no braço ou joelho como um convite ao sexo. Isso raramente é verdade. Homens, mais do que mulheres, tendem a interpretar gestos não verbais de boa conexão como convites ao sexo. Quando uma mulher toca um homem levemente, a única conclusão segura é que a mulher gosta dele, nada mais do que isso. Esta tendência masculina de assumir que o toque de uma mulher é um convite sexual frequentemente danifica relações de amizade, muitas vezes de forma irreversível.

O lugar mais íntimo (não sexual) que um homem pode tocar uma mulher em público é a parte baixa das costas. Esse lugar é reservado para quem ganhou o direito de fazer uma exibição pública de afeto. Tocar as costas de uma mulher pode também servir como indicador da relação. Por exemplo, ao ver uma mulher que você pretende conhecer conversando com outro homem, teste a força da relação dos dois observando as ações do homem quando você se aproxima. Se ele estender o braço e deixar a mão pairando sem encostar nas costas dela, estará protegendo seu território, mas ainda não conquistou o direito de invadir o espaço pessoal da mulher. Esse gesto significa que você terá uma chance para ganhar o afeto da mulher sem interferir numa relação já estabelecida.

Se um homem tenta prematuramente tocar as costas de uma mulher, ela geralmente se afastará e mostrará sinais não verbais de desconforto. Por outro lado, se, durante sua aproximação, o homem tocar firmemente nas costas da mulher ou na região da cintura, você deve assumir que a relação já progrediu para além do estágio introdutório, portanto você deve procurar companhia em outro lugar.

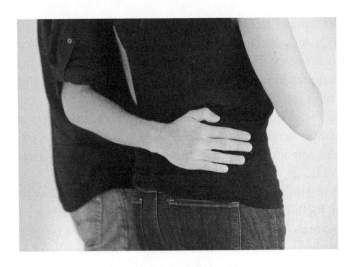

Um toque íntimo.

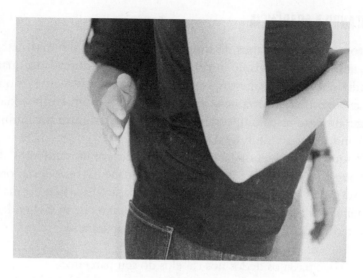
Toque demonstrando possessividade, mas não um toque sexual.

O ESPIÃO QUE FOI FLAGRADO

Um toque na parte baixa das costas forneceu uma dica crucial num caso de espionagem contra um agente do FBI que, descobriu-se depois, forneceu informações secretas para um governo estrangeiro por mais de vinte anos. Esse agente havia recrutado uma mulher como fonte de um país hostil aos Estados Unidos. Durante o período da relação, a fonte convenceu o agente a fornecer informações secretas que foram repassadas ao governo estrangeiro (hostil).

Os membros do Programa de Análise Comportamental obtiveram uma série de vídeos mostrando o agente interagindo com sua fonte. Num desses vídeos, ele foi observado tocando a mulher na parte baixa das costas. Baseada nesse gesto, a equipe do PAC pôde determinar que naquele encontro, ou antes, o agente do FBI havia tido contato íntimo com sua fonte. Portanto, um possível motivo foi detectado para que o agente entregasse conscientemente informações secretas para um governo hostil. Isso levou a uma investigação que descobriu sua cumplicidade na transmissão ilegal de documentos secretos para o outro Estado.

AJEITANDO A APARÊNCIA

Gestos como tirar fiapos da roupa do parceiro ou arrumar sua gravata também são sinais de uma boa conexão. Por outro lado, quando o indivíduo faz esses gestos em si mesmo, principalmente se quiser evitar olhar para a outra pessoa, ou se faz isso por um tempo excessivo, geralmente esse comportamento é considerado um sinal inimigo indicando falta de interesse na relação.

Pesquisadores identificaram uma lista de comportamentos desse tipo que pode ser usada para avaliar a intensidade das relações amorosas. Quanto mais presente, mais intensa é a relação. Essa lista é uma boa maneira para avaliar a sua relação. Holly Nelson e Glenn Geher desenvolveram a seguinte lista de cuidados com a aparência.

1. Você passa os dedos nos cabelos do seu parceiro?
2. Você lava os cabelos ou corpo do seu parceiro durante o banho?
3. Você faz a barba do seu parceiro ou depila sua perna?
4. Você limpa as lágrimas do parceiro quando ele/ela chora?
5. Você penteia ou brinca com o cabelo do parceiro?
6. Você limpa ou seca líquidos derramados sobre seu parceiro?
7. Você corta e/ou limpa as unhas do seu parceiro?
8. Você tira fiapos, sujeira, insetos, folhas, etc. de cima do seu parceiro?
9. Você coça as costas ou outras partes do corpo do seu parceiro?
10. Você limpa comida ou migalhas do rosto ou corpo do seu parceiro?

Cuidar da aparência do parceiro é sinal de uma boa conexão.

PRÁTICAS ISOMÓRFICAS (ESPELHANDO O COMPORTAMENTO DE OUTRA PESSOA)

Já discutimos as práticas isomórficas/espelhamento para construir conexão no Capítulo 2. Então, como você testa isso? Checando a presença dessas práticas, com o passar do tempo, usando a abordagem conhecida como "siga o mestre".

Exemplos de boa conexão (acima, o espelhamento é claramente visível); e má conexão (abaixo, postura diferente e nenhum espelhamento aparente).

Pessoas conectadas psicologicamente espelham os gestos corporais um do outro. Espelhar intencionalmente a linguagem corporal de outro indivíduo promove a conexão. Quando você encontra alguém pela primeira vez, você deve espelhar seus gestos para estabelecer uma conexão. Em algum ponto durante a conversa, você pode testar sua conexão usando a técnica "siga o mestre". Você esteve espelhando a outra pessoa, mas quer saber se ela espelha os seus gestos de volta, sinalizando a conexão. Mude a posição do seu corpo. Se você estabeleceu uma conexão, o outro deve espelhar essa mudança dentro de vinte ou trinta segundos.

Na técnica "siga o mestre", usada para testar a conexão, você muda a posição do seu corpo cruzando ou descruzando os braços e pernas ou fazendo alguma outra mudança óbvia na postura. Se o ouvinte espelhar o mesmo gesto, a conexão foi estabelecida. Entretanto, se ele não responder de um jeito semelhante, então você tem a opção de continuar construindo a conexão, seguida de um novo teste "siga o mestre" para saber se a conexão foi estabelecida após os esforços adicionais.

JOGANDO O CABELO

Balançar a cabeça e jogar o cabelo com a mão é um indicador de conexão.

A dica não verbal crucial durante esse movimento são os olhos nos olhos, que por sua vez são um forte sinal positivo de que a conexão foi estabelecida. As três fotos da página 168 mostram esse movimento dos cabelos em sequência, como aconteceria em tempo real.

Observe cuidadosamente o movimento quando testar a conexão. Isso é importante porque jogar os cabelos sem olhar nos olhos é um forte sinal negativo indicando falta de conexão.

Jogando os cabelos positivamente.

Jogando os cabelos negativamente.

A sequência do movimento dos cabelos.

POSICIONAMENTO DA POSTURA

Um bom jeito de testar a conexão é notar a postura dos dois indivíduos interagindo. Dois comportamentos que merecem atenção particular.

INCLINAÇÃO PARA FRENTE

Indivíduos se inclinam na direção das pessoas ou coisas de que gostam e se distanciam de quem não gostam. Interlocutores com boa conexão se inclinam na direção um do outro. Durante um treinamento que precedia o envio de interrogadores para o Iraque, notei que a maioria dos soldados estava se inclinando para trás durante a primeira hora da minha apresentação. Pouco antes do intervalo, usando uma declaração empática, eu disse que não sentia que estava me conectando com eles. Os soldados concordaram ao mesmo tempo. Eles disseram que já tinham estado no Iraque em duas ocasiões e que o material que eu estava ensinando era básico demais. Dei um intervalo de quinze minutos e fui buscar o material de treinamento avançado. Se eu não tivesse notado a falta de conexão com os soldados na primeira hora, todo o treinamento teria sido desperdiçado.

POSTURA ABERTA

Pessoas com boa conexão assumem uma postura aberta. Esse tipo de postura sinaliza atração e abertura ao diálogo. Consiste em gestos que incluem pernas e braços não cruzados, alta frequência de movimento das mãos durante a fala, exibição das palmas das mãos, leve inclinação para frente e exibição de sinais amistosos. Isso comunica confiança, simpatia e cordialidade. Para aumentar o impacto da postura aberta, você pode usar um aceno ou inclinação da cabeça e encorajamentos verbais como "entendo", "hum-hum", "continue".

Uma pessoa que experimenta boa conexão não se sente ameaçada pela pessoa com quem está interagindo e, portanto, se sente confortável para assumir uma postura aberta. Um indivíduo que se sente ameaçado na mesma situação tende a assumir uma postura fechada para se proteger de uma ameaça percebida. Uma postura fechada também pode indicar falta de interesse.

Posturas fechadas geralmente são o oposto das posturas abertas. Isso inclui braços cruzados com força, pouco movimento das mãos e poucos sinais amistosos. Se o indivíduo com quem você está falando está olhando para você, mas seu torso ou pés estão virados em outra direção, ele não está totalmente interessado. Os pés geralmente apontam em outra direção para subconscientemente telegrafar um desejo de ir embora. Outros sinais de desinteresse: inclinação para trás do corpo ou cabeça; apoiar a cabeça com as mãos; deslizes da aparência, como morder as unhas ou limpar os dentes.

REPOSICIONAMENTO DO TORSO

Pessoas conectadas se orientam na direção um do outro. Inclinar para longe ou para perto de alguém é uma forma de movimento do torso que indica uma conexão boa ou ruim. Outro tipo de movimento do torso está ilustrado nas duas fotografias a seguir. Esse movimento envolve torcer o torso mais diretamente na direção do objeto de interesse. Tal movimento é um bom indicador da conexão entre dois indivíduos.

Para testar a conexão usando o movimento do torso, a regra básica a lembrar é que indivíduos que compartilham uma conexão irão orientar seus corpos na direção um do outro. Aqui vai a sequência típica do movimento: primeiro, a cabeça da outra pessoa irá virar na sua direção. Segundo, seus ombros seguirão o mesmo caminho. Finalmente, ela irá reposicionar o torso para que fique diretamente voltada para você. Quando isso ocorrer, pode ficar seguro de que a conexão foi estabelecida.

Sequência de reposicionamento do torso.

BARREIRAS

Uma boa maneira para testar a conexão é procurar barreiras que os indivíduos colocam e/ou removem entre eles e os outros. Pessoas que não se sentem confortáveis com outros indivíduos criam barreiras ou não removem as existentes. Por outro lado, indivíduos que se sentem confortáveis com quem interagem mantêm espaço aberto entre eles, mesmo se for preciso remover barreiras.

Tentativas de bloquear o corpo ou o peito são um sinal inimigo. Você pode enviar essa mensagem não verbal na mesa de jantar colocando um objeto entre você e o indivíduo à sua frente.

Barreiras podem ser formadas pelo posicionamento das mãos e pés ou com a colocação de objetos entre os indivíduos. Alguns dos comportamentos não verbais e objetos que criam barreiras serão listados a seguir. Quando enxergar esse tipo de barreira, você pode assumir que uma boa conexão *não* foi formada entre os indivíduos envolvidos.

Braços cruzados formam uma barreira. (A inclinação para trás demonstra uma falta de conexão.)

BRAÇOS CRUZADOS

Cruzar os braços serve como uma barreira psicológica para se proteger de assuntos que causam ansiedade. Indivíduos com boa conexão não se sentem ameaçados ou ansiosos. Se a pessoa com quem você está falando cruzar repentinamente os braços, a conexão ainda não foi estabelecida – ou isso sinaliza uma conexão enfraquecida. Desconforto com a pessoa ou com o assunto discutido tende a ser representado por cruzar os braços sobre o peito.

ERGUENDO BARREIRAS COM OBJETOS

Colocar uma lata de refrigerante, uma almofada, bolsas e outros objetos móveis entre você e a pessoa significa desconforto e falta de conexão. Uma mulher que não possui boa conexão com a pessoa com quem está conversando geralmente usa sua bolsa para criar uma barreira. Esse gesto geralmente envolve apanhar a bolsa e colocá-la no colo. Isso sinaliza que a conexão ainda não foi estabelecida, ou que ela está se deteriorando.

ALMOFADA REVELADORA

Uma vez expliquei a função das barreiras para um novo agente que estava treinando. Ele estava um pouco cético sobre a eficácia da técnica até interrogar uma testemunha em particular. Fizemos a entrevista na casa dela. A testemunha sentou no sofá e nós sentamos em duas poltronas na sua frente. O novo agente pediu à testemunha que descrevesse o suspeito. Ela hesitou, apanhou uma almofada e a colocou sobre o colo. O novo agente olhou discretamente para mim sinalizando que havia percebido a dica não verbal: a testemunha estava desconfortável descrevendo o suspeito. O novo agente construiu uma declaração empática: "A senhora parece desconfortável identificando o suspeito." "Com certeza", ela admitiu "não quero que aquele cara volte para me machucar." O agente seguiu com outra declaração empática. "Então a senhora está preocupada com uma possível retaliação." Ela suspirou: "Sim." Uma mudança na linguagem não verbal da testemunha sinalizou uma mudança em sua disposição psicológica. Observar mudanças sutis na linguagem não verbal geralmente comunica mais informações do que qualquer coisa que a pessoa possa dizer.

O agente dedicou um tempo para discutir o medo da mulher e argumentou que ele era infundado. Assim que eliminou a preocupação da testemunha, ela colocou a almofada novamente no canto do sofá. A conexão entre ambos havia sido restabelecida.

FECHAMENTO PROLONGADO DOS OLHOS

Pessoas ansiosas demonstram seu desconforto com um fechamento prolongado dos olhos. Suas pálpebras servem como uma barreira que impede a visão da pessoa ou coisa que os deixa ansiosos ou desconfortáveis. Em várias ocasiões, quando entrava no escritório do meu chefe, eu notava seus olhos se fechando por um ou dois segundos. Essa dica me dizia que ele estava ocupado e não queria falar comigo naquele momento. Meu chefe e eu geralmente tínhamos boa conexão, mas nesses dias, quando ele mostrava um fechamento prolongado dos olhos, eu rapidamente me retirava. Meu chefe não aceitaria meus pedidos, comentários ou sugestões quando seu comportamento não verbal indicava que ele queria ficar sozinho.

FREQUÊNCIA DO PISCAR DE OLHOS

Quando as pessoas ficam ansiosas, elas tendem a aumentar a frequência do piscar de olhos. A frequência normal para a maioria das pessoas é quinze piscadas por minuto. Quando uma pessoa fica ansiosa, sua frequência aumenta ou diminui. Cada indivíduo possui sua própria frequência considerada "normal", portanto ela deve ser determinada no começo da interação.

POSICIONAMENTO DO COPO

Como você pode se lembrar, 70% de toda informação transferida entre indivíduos acontece durante uma refeição. Pessoas que comem e bebem juntas ficam predispostas a conversar. Observar onde sua companhia coloca o copo pode sinalizar se a conexão foi estabelecida. Se ela colocar o copo entre vocês dois, ele forma uma barreira, sinalizando que a conexão ainda não foi estabelecida. Se colocar o copo para o lado, deixando aberto o espaço entre vocês, isso sinaliza que a conexão foi estabelecida. As três fotos a seguir mostram um casal desenvolvendo uma boa conexão.

O movimento do copo ajuda a determinar se a conexão foi estabelecida.

Construindo proximidade

Note que na primeira foto os dois copos formam uma barreira entre o casal na mesa. Na segunda foto, a mulher está prestes a tomar um gole, enquanto o homem já bebeu de seu copo. Na terceira, a mulher terminou de beber e colocou o copo de lado, deixando uma abertura entre ela e o parceiro, que ainda está segurando seu copo, mas claramente está prestes a colocá-lo no outro lado da mesa para limpar o espaço entre eles de qualquer barreira.

Comportamentos que removem barreiras entre você e o ouvinte sinalizam boa conexão. Você pode monitorar a conexão durante conversas observando onde as pessoas colocam seus copos ou outros objetos sobre a mesa. Se o ouvinte inesperadamente coloca um copo na sua frente, esse gesto pode sinalizar uma conexão enfraquecida. Em outras palavras, o posicionamento de objetos pode servir como um barômetro da conexão que sinaliza se ela está se dissipando ou aumentando. Isso pode ser visto nas fotos a seguir.

Na primeira foto, temos um casal sentado à mesa com um vaso de flores entre os dois. Nas duas fotos seguintes, vemos o homem removendo a barreira (as flores) entre ele e a mulher ao apanhar o vaso e colocá-lo de lado. A quarta foto mostra a conexão crescendo sem a barreira, e o jovem casal se inclina na direção um do outro, exibindo inclinações de cabeça e sorrisos. A quinta foto mostra uma conexão ainda forte, com o homem segurando a mão da mulher. A sexta foto captura a conexão mais forte de todas, com o homem sussurrando para sua companheira, gesto que é outro sinal de boa conexão.

A evolução de uma boa conexão com o passar do tempo.

Construindo proximidade

COMPORTAMENTOS QUE INDICAM PRESENÇA OU AUSÊNCIA DE CONEXÃO

Aqui estão alguns sinais que você pode observar para determinar como está seu processo de formação da conexão.

Sinais amistosos que indicam conexão	Sinais inimigos que indicam falta de conexão
Movimento ascendente das sobrancelhas	Sobrancelhas franzidas
Inclinação da cabeça	Olhos revirados
Sorrisos frequentes	Olhar frio
Olhos nos olhos	Fechamento prolongado dos olhos ou desvio dos olhos
Toques íntimos	Toques ausentes (ou muito limitados)
Práticas isomórficas (espelhamento)	Postura não sincronizada
Inclinação para frente (na direção da outra pessoa)	Inclinação para trás (longe da outra pessoa)
Sussurros	Ato de enrolar os cabelos (a menos que seja um hábito)
Gestos expressivos	Postura agressiva ou de ataque
Postura aberta	Postura fechada
Remoção de barreiras/obstáculos	Criação ou uso de barreiras/obstáculos
Olhos bem abertos	Olhos cerrados
Ato de morder ou lamber os lábios (mulheres)	Bocejos falsos
Ato de assentir frequentemente	Balanço de cabeça negativo
Ato de compartilhar comida ("roubar comida")	Ato de franzir o nariz
Ato de cuidar da aparência do parceiro	Ato de arrumar a própria aparência
Ato de jogar os cabelos com simpatia	Ato de jogar os cabelos com antipatia

O QUE VOCÊ VÊ? HORA DE TESTAR AQUILO QUE APRENDEU!

Nas páginas seguintes temos uma série de fotografias, cada uma acompanhada de uma questão. Usando as informações você aprendeu neste livro, responda às questões o melhor que puder. Depois compare suas respostas com nosso gabarito no Apêndice (p. 244).

1. Identifique o sinal amistoso ou inimigo mostrado na foto.

2. Identifique os três sinais amistosos mostrados na foto.

Construindo proximidade

3. (Questão difícil): Identifique um sinal amistoso adicional não encontrado na foto nº 2.

4. Como está a conexão entre os indivíduos desta foto? Justifique sua resposta citando as dicas não verbais presentes na foto.

5. Como você descreveria a maneira como esses indivíduos se sentem um sobre o outro? Justifique citando as dicas não verbais presentes na foto.

6. Como você descreveria a maneira como esses indivíduos se sentem um sobre o outro? Justifique citando as dicas não verbais presentes na foto.

7. Você consegue identificar o sinal amistoso que não aparece em nenhuma das outras fotos e que indica uma boa conexão entre os dois indivíduos? Que sinal é esse?

8. Como você descreveria a maneira como esses indivíduos se sentem um sobre o outro? Justifique citando as dicas não verbais presentes na foto.

9. Como você descreveria o nível de conexão entre os dois indivíduos na foto? Justifique citando as dicas não verbais presentes na foto.

10. (Questão difícil): Quem está no comando aqui, o homem ou a mulher? Justifique citando as dicas não verbais presentes na foto.

7
NUTRIR E SUSTENTAR RELAÇÕES DE LONGO PRAZO

As pessoas não se importam com o que você sabe; elas querem descobrir o quanto você se importa.
— ZIG ZIGLAR

Todas as relações de longo prazo começam como relações de curto prazo e se desenvolvem, como todas as amizades, através de entendimento e da utilização de todas as ferramentas para construir e sustentar a conexão. Com o passar do tempo, algumas de nossas relações de amizade se tornam relações amorosas. Quando uma relação amadurece até se tornar uma interação de amor, um novo foco comportamental é necessário para manter a paixão e a parceria intactas e intensas.

Esse novo sentimento, simples de entender mas difícil de manter, é o *afeto*. Pense um pouco em todas as pessoas que você conhece mais do que casualmente, como família, amigos, colegas e mentores. Depois, pergunte a si mesmo: "Por quais desses indivíduos eu sinto mais estima e realizaria seus desejos mais voluntariamente?". Provavelmente essa pessoa é alguém que você *acredita* que se importa com você. É possível perceber isso nas ações e no comportamento dela em geral.

Tentar definir o afeto é um pouco como tentar definir o termo *pornografia*. Quando um juiz da suprema corte precisou definir esse termo, ele respondeu: "Não posso definir, mas posso reconhecer quando vir". Isso também acontece com o afeto. Tentar definir com palavras a essência desse sentimento é quase impossível, mas podemos reconhecê-lo imediatamente quando estamos diante dele. Afeto diz respeito ao *coração*, não à *mente*. É algo que vai além de interações robóticas, intelectuais e superficiais, e toca na própria essência de quem nós somos em nossas emoções mais profundas.

O afeto nos permite alcançar os níveis mais altos de uma relação, e podemos separar quatro componentes que nos mostram o que precisamos fazer para demonstrar afeto *eficientemente*: a) ter compaixão/preocupação; b) ouvir atentamente; c) dar reforço; d) sentir empatia.

Vamos examinar cada um desses componentes para ajudar a definir o que deve ser feito para manter relações de longo prazo felizes e saudáveis.

A) COMPAIXÃO/PREOCUPAÇÃO

Pessoas afetuosas mostram uma preocupação honesta pelo outro, não um comentário de passagem ou uma resposta irreverente para alguém que está sofrendo, mas uma genuína sensação de compaixão por aquilo que o outro está experimentando e um compromisso para ajudar a melhorar as coisas. Em relações de longo prazo haverá muitos momentos em que um ou ambos os parceiros enfrentarão crises. É nesse momento que o verdadeiro nível de preocupação, ou falta dela, se torna evidente. É relativamente fácil manter uma relação de longo prazo quando tudo vai bem, mas é no meio de uma crise que o verdadeiro caráter de um indivíduo se revela e se mostra maravilhoso ou deficiente.

De certa maneira, poucas coisas são tão bonitas quanto duas pessoas que se tornaram dependentes uma da outra como parceiros afetuosos quando a necessidade aparece. Talvez a forma mais forte de afeto se mostre quando uma pessoa se torna cuidadora de um parceiro doente ou ferido. Testemunhar esse tipo de sacrifício altruísta, dias após dia, às vezes anos após ano, é testemunhar a personificação do afeto em sua forma mais pura.

Com sorte, você nunca terá que cuidar de um parceiro na doença (em vez de 'na saúde'). Felizmente, no dia a dia é possível fazer pequenas coisas para deixá-lo saber que você se importa. Compartilhar o trabalho, fazer algo especial sem razão aparente, fazer um elogio inesperado, oferecer segurança em momentos de instabilidade, estar lá quando ele ou ela precisa de você, oferecer uma palavra bondosa e ajuda são atos de amor que um indivíduo afetuoso faz. Esse tipo de afeto é "amar alguém por dentro", e quando você entrega algo de coração, isso será recebido com gratidão verdadeira.

Um dia eu estava almoçando num shopping lotado em Washington e quando me aproximei da lata de lixo, pensei ter ouvido alguém chamar meu nome. Vasculhei a multidão e não percebi ninguém tentando chamar minha atenção, então continuei andando. Então ouvi meu nome completo ser chamado. Virei e me deparei com uma jovem garota se aproximando. Ela parou e se apresentou, mas eu não a reconheci. Ela disse que queria me agradecer por ter salvado sua vida. Eu reagi com um olhar confuso. Ela continuou: "Eu era uma das garotas sequestradas há dez anos". Instantaneamente me lembrei do dia em que ela e sua amiga foram resgatadas por dois policiais sob uma saraivada de balas. Eu disse a ela que foram os policiais que salvaram sua vida. Ela reconheceu que os policiais a resgataram do sequestrador, mas fui eu quem salvou sua vida. "Como assim?", perguntei.

"Eu estava emocionalmente muito abalada", ela disse. "Sua bondade e compaixão deram início ao meu processo de cura." Eu me lembro de ter sido destacado para o caso. Meu supervisor me indicou para entrevistá-la depois de solta. Demorou um mês para que ela se acalmasse o bastante para conseguir contar o que tinha se passado sem que caísse em lágrimas. Passei uma hora por dia apenas deixando ela falar. Declarações empáticas foram cruciais. Nós raramente discutimos o sequestro em si, mas, com o tempo, consegui conduzir uma entrevista detalhada com a vítima, que na época tinha apenas quatorze anos. Completei a entrevista e nunca mais vi a garota, nem pensei mais sobre o caso, mas ela se lembrava. "Você pode ter se esquecido de mim", ela disse, "mas eu sempre me lembrarei da sua bondade. Não sei se teria me recuperado sem a sua ajuda." Agradeci e disse que estava apenas fazendo meu trabalho. Deixei minha bandeja no balcão e nos despedimos. Naquele dia entendi que nossas palavras, das quais geralmente nos esquecemos, podem causar um profundo impacto no ouvinte por um longo tempo.

B) OUVIR ATENTAMENTE

Ouvir atentamente significa usar dicas verbais e não verbais, somadas a declarações empáticas, quando a outra pessoa está falando. Algumas das sugestões do Capítulo 5 que envolvem ouvir atentamente recebem uma importância maior nas relações de longo prazo, quando anos de comunicação com o mesmo indivíduo podem nos dar um melhor entendimento de como reforçar ou enfraquecer as ligações pessoais.

Em relações de longo prazo, a comunicação é a chave para sustentar ou drenar os sentimentos que temos em relação ao outro. Trocas abertas e honestas entre parceiros de longo prazo criam confiança, demonstram uma atitude afetuosa e fornecem informações vitais sobre a saúde da relação.

Se desde o começo da relação você for um proponente e praticante do ato de ouvir atentamente, terá uma grande vantagem com o passar do tempo. Isso acontece porque haverá um entendimento muito melhor das necessidades particulares do seu parceiro, interesses, personalidade, desejos, medo e assuntos a explorar ou a evitar.

Sem ouvir atentamente, alguns casais que estiveram juntos por décadas podem não ter, literalmente, nenhuma ideia de como seus parceiros realmente se sentem ou o que desejam. Isso acontece porque não prestaram atenção àquilo que estava sendo dito! Pode ser difícil de acreditar, mas isso acontece, infelizmente, muito mais do que as pessoas gostariam de admitir. Ouvir atentamente permite uma comunicação aberta de duas vias. A troca de informações é facilitada ao se falar e ouvir atentamente.

Um dos maiores benefícios do ato de ouvir atentamente numa relação de longo prazo é a habilidade de refinar a forma como você cuida do seu parceiro. Enquanto numa relação nova a chance de "dizer algo errado" é uma possibilidade real, esses erros conversacionais devem diminuir drasticamente (até mesmo desaparecer) com o amadurecimento da relação e quando os parceiros passam a se conhecer melhor.

Qualquer indivíduo que já escutou atentamente seu parceiro de longa data sabe muito bem que palavras e assuntos deve evitar. Uma pessoa afetuosa usa essa informação para fortalecer a relação. Por outro lado, esse conhecimento pode ser usado para enfraquecer ou mesmo destruir relações. Isso ocorre frequentemente durante brigas, quando um dos parceiros toca de propósito em algum ponto sensível, aumentando assim o conflito e infligindo dor emocional ao outro – uma estratégia muito ruim, mesmo se a pessoa estiver muito brava ou se for um modo de vencer uma discussão. O problema é que muito tempo depois de a discussão terminar, o resultado emocional não irá desaparecer tão facilmente.

Embora possa ser tentador usar informações que você sabe serem úteis para vencer um conflito ou machucar durante uma briga, não faça isso se o seu parceiro considerar que trazer à tona essa informação seja "passar dos limites". Resista à tentação de soltar os cachorros! Com o tempo, se um dos parceiros insistir em detonar palavras explosivas, tocar em pontos sensíveis ou assuntos considerados além do limite, a relação poderá entrar em colapso por isso.

Fique longe do botão explosivo!

Seja um bom ouvinte. Não apenas você será visto como mais afetuoso, como também alcançará um melhor entendimento do seu parceiro e reforçará a relação. Aqui vão algumas dicas adicionais para ouvir com mais eficácia.

- Deixe seu parceiro terminar o que estava dizendo antes de começar a falar.
- Discussões importantes merecem um lugar apropriado no qual os parceiros podem se ouvir facilmente (não converse sobre finanças ou eventos importantes num restaurante lotado e barulhento!).
- Não fique pensando naquilo que você vai dizer enquanto seu parceiro está falando: concentre-se nas palavras dele, não em seus próprios pensamentos.
- Se o seu parceiro for introvertido e não gostar de falar, faça acenos de cabeça e emita dicas verbais para encorajá-lo a falar (ver Capítulo 5).
- Observe seu parceiro enquanto ele fala. A comunicação é uma troca não verbal assim como verbal. Além disso, ao prestar

atenção em seu parceiro, ele provavelmente enxergará você como sinceramente interessado naquilo que está dizendo.
- Esteja preparado para elogiar seu parceiro quando ele apresentar um bom argumento ou sugestão.
- Quando ouvir algo de que não gosta ou com que não concorda, não responda imediatamente nem entre na defensiva. Pense um pouco sobre a observação procurando por alguma verdade ou, ao menos, tente chegar a um meio termo que irá satisfazer os dois.
- Se o seu parceiro está claramente errado em alguma situação, tente ajudá-lo a encontrar uma maneira de graciosamente admitir o erro e manter sua dignidade.
- Você pode até sugerir um "tempo" se sentir que a conversa está se tornando um confronto aberto.

C) REFORÇO

O ato de reforçar consiste no uso de recompensas e punições impostas por um indivíduo a outro numa relação. Aqui vão alguns erros que você não deve cometer quando lidar com seu parceiro.

1. Não estar ciente de que seu estilo de interação resulta na administração inadequada de recompensas e/ou punições no dia a dia.

Algumas pessoas, quando se envolvem em relações de longo prazo, exibem padrões de reforço com seu parceiro que não favorecem a satisfação na relação. Existem três tipos de indivíduos que usam o reforço inadequadamente.

O parceiro negativista

Seu lema: "Enfatizar o negativo; ignorar o positivo".
Sua crença: "Que crédito você merece por fazer algo certo? Esse é o seu trabalho!".
Sua abordagem comportamental em relação ao parceiro: punição e sentimentos negativos.

Parceiros negativistas parecem mestres no comportamento "viu, eu avisei" quando você está errado, e "eu não enxergo você" quando está certo. A pessoa que vive com um negativista geralmente faz o seguinte comentário: "O único momento em que ouço meu parceiro falando comigo é quando faço algo errado". Alguém se surpreende por esse comportamento criar amargura e frustração? Ninguém gosta de sentir que, quando faz algo certo, é ignorado, enquanto qualquer engano recebe máxima atenção. Uma vez ouvi uma esposa dizer algo muito certo para seu marido: "Se você vai criticar meus erros, pelo menos dê a mesma atenção aos meus acertos". Parceiros negativistas precisam reconhecer que, se é apropriado criticar seus parceiros quando fazem algo errado, também deverá elogiar quando acertam.

O parceiro perfeccionista

Seu lema: "Sempre há espaço para melhorar".
Sua crença: "Se não está perfeito, não vale a pena".
Sua abordagem comportamental em relação ao parceiro: manter padrões inalcançáveis.

O parceiro perfeccionista exige altos níveis de esforço e quer a perfeição, mesmo quando algo funcional já seria suficiente e gastaria bem menos energia. Indivíduos perfeccionistas estão dispostos a elogiar o parceiro por um trabalho bem feito, desde que seja *perfeito*. E aí mora o problema. Pois o parceiro perfeccionista exige padrões tão altos que quase ninguém consegue alcançar o nível de desempenho necessário para receber um elogio. Portanto, o parceiro perfeccionista não é melhor do que o negativista, já que requer níveis tão altos de perfeccionismo que fica literalmente impossível satisfazê-lo de qualquer forma! A melhor maneira para um perfeccionista modificar suas demandas impossíveis é baixar seus padrões para um nível razoável que valorize a competência e não exija um desempenho comportamental praticamente inalcançável. Parceiros perfeccionistas deveriam entender que a quantidade de tempo e esforço necessários para transformar desempenhos competentes em desempenhos perfeitos raramente vale a pena.

O parceiro sádico

Seu lema: "Um erro apaga todos os acertos".
Sua crença: "Errar é humano; pagar pelo erro é divino".
Sua abordagem comportamental em relação ao parceiro: total desequilíbrio entre recompensar um bom desempenho e punir erros e enganos.

Parceiros sádicos ganham sua alcunha porque nos lembram de crianças travessas que arrancam as asas de uma borboleta. Na superfície, parecem bondosos. Elogiam e reconhecem seus parceiros regularmente. Mas espere! Esses indivíduos possuem um jeito único e irreal de equilibrar os elogios e as críticas quando se trata de lidar com seus parceiros. É assim que operam: seus parceiros podem acumular quantos elogios merecerem, mas se fizerem algo de errado, esse único engano "apaga" todo ou quase todo elogio que receberam antes. Ao parceiro sádico que quer mudar para melhor: você deve reconhecer um nível de "equidade" entre o peso do comportamento bom e o não tão bom do seu parceiro, e o reconhecimento de que incidentes acumulados de comportamento positivo não deveriam se tornar sem valor por causa de um incidente negativo.

2. Não prestar "atenção positiva" suficiente ao seu parceiro.

Uma das tristes realidades de relacionamentos de longo prazo é a tendência natural dos parceiros de perder um pouco da paixão que os fazia cobrir um ao outro com atenção, elogios e "pequenas ações de afeto" durante os primeiros estágios da relação. Isso é uma pena, pois seres humanos nunca perdem a necessidade de atenção positiva. A sensação de que alguém próximo nos aprecia e está disposto a mostrar isso fazendo pequenos atos de bondade e oferecendo elogios regularmente é crucial para a saúde e robustez de relações de longo prazo.

Aqui vão algumas maneiras para você fazer seu parceiro saber que você o aprecia.

- Elogie quando ele fizer algo bem feito. Por exemplo, pode ser um problema resolvido no trabalho. Possivelmente, poderia envolver alguma honra cívica ou social que ele receba. Pode até mesmo não ser nada além de um gesto como apanhar seu doce predileto na padaria. Deixe seu parceiro saber que você o aprecia elogiando-o. Mas o elogio nunca deve ser oferecido para "conseguir algo". Deve ser dado apenas quando é merecido e você puder elogiar honestamente. A boa notícia é que um elogio não custa dinheiro. Só é preciso a disposição para observar e perceber o comportamento notável, e depois o ato em si de verbalizar sua atenção positiva.
- Nunca esqueça de datas importantes do seu parceiro, como aniversários e eventos especiais. É impressionante o que um cartão com uma mensagem pessoal pode fazer para um parceiro se sentir realmente bem e, baseado na Regra de Ouro da Amizade, também se sentir bem em relação a você.
- Encoraje seu parceiro a participar das decisões que você toma, principalmente grandes decisões que afetarão seu planejamento financeiro, grandes compras, mudanças ocupacionais ou de moradia e questões de saúde. As pessoas ficam mais dispostas a aceitar qualquer decisão tomada sobre um assunto se elas sentirem que possuem poder de decisão. Isso acontece porque elas se sentem incluídas e sentem que também são "donas" da ideia. Não apenas ficarão mais propensas a aceitar a decisão depois de serem consultadas, como também farão isso de um jeito mais *motivado* e *entusiasmado*.
- Quando apropriado, faça um "reconhecimento público" de seu parceiro, deixando os outros saberem de alguma conquista especial. Embora seu parceiro possa fingir constrangimento ou tentar diminuir a conquista, na maioria dos casos isso não deve deter você. Mesmo introvertidos gostam de reconhecimento público, desde que feito com cuidado e discretamente.

3. **Não presentear seu parceiro corretamente porque aquilo que você acha que ele quer e aquilo que ele efetivamente quer não coincidem.**

Tente lembrar de algum aniversário da sua infância quando você recebeu um presente de que não gostou. Era ainda pior se o presente viesse de algum parente ou amigo que possuía muito dinheiro e você estivesse esperando por aquela bicicleta, mas ao invés disso recebeu roupas ou uma enciclopédia.

Não cometa esse tipo de erro com seu parceiro. Mesmo que você tenha boas intenções e se esforce muito para conseguir aquele presente especial, nada disso terá valor se o presente não for aquilo que o parceiro queria. Você pode pensar que após dez, vinte, trinta anos, os parceiros possuem uma boa noção daquilo que o outro quer. Mas isso nem sempre é verdade. O marido que compra para sua esposa um aspirador de pó para o dia dos namorados não é apenas assunto para lendas urbanas e propaganda: isso acontece de verdade.

Qual é a melhor maneira para ter certeza de que você escolherá o presente certo? Pergunte! Ou, melhor ainda, ouça o que seu parceiro diz, e você provavelmente será capaz de detectar. Seja observador. Um catálogo aberto na cozinha com um item circulado em vermelho pode ser uma ótima dica.

Um dos problemas de se perguntar a uma pessoa o que ela quer é a perda do elemento surpresa. Um jeito para evitar isso, principalmente quando se trata de presentes de Natal, é fazer seu parceiro colocar fotos numa caixa do que gostaria de receber. Por exemplo, pode ser um anúncio de viagem, um item para a casa ou até mesmo o cardápio de um restaurante. Dessa maneira, é possível escolher um dos itens e comprá-lo, e o presenteado não saberá o que esperar. O elemento surpresa, embora não seja completo nesse caso, acrescenta mais excitação na troca de presentes.

D) EMPATIA

Empatia é o último componente do afeto e é crucial para qualquer relação de longo prazo bem-sucedida. Ser capaz de sentir como o seu parceiro se sente, e se *importar* com isso, é essencial para manter uma boa relação. Indivíduos que passaram muito tempo juntos possuem uma vantagem natural quando se trata de se colocar no lugar do outro. Eles tiveram anos para aprender até mesmo as nuances mais sutis do humor do parceiro, suas necessidades únicas e idiossincrasias de comportamento.

É incrível o que uma palavra bondosa pode fazer quando você sente que seu parceiro está deprimido. Usar declarações empáticas como "Você deve estar mesmo magoado" quando descobrir que ele está sofrendo envia uma poderosa mensagem de que você se importa o bastante para perceber o problema e está disposto a expressar sua preocupação. "Estar lá" para um parceiro sofrendo física ou psicologicamente produz um grande efeito reconfortante, e essa compaixão é sempre lembrada e apreciada.

A empatia é uma parte tão importante das relações que foi reconhecida e exaltada por décadas como uma ferramenta crucial para moldar relações de todos os tipos: curtas, longas, pessoais ou de negócios. O próprio Henry Ford resumiu perfeitamente quando disse: "Se existe um segredo para o sucesso, esse segredo está na habilidade de entender o ponto de vista da outra pessoa e enxergar as coisas a partir desse ângulo, além do seu próprio".

Ter preocupação/compaixão, ouvir atentamente, dar reforço e sentir empatia são os componentes do afeto que transformam amizades de curto prazo em relações de longo prazo, e essas, por sua vez, em tudo que são capazes de se tornar.

COMO LIDAR COM PESSOAS IRRITADAS (INCLUINDO VOCÊ MESMO): PRATICANDO O CONTROLE DA RAIVA

As ferramentas que você recebeu para moldar relações satisfatórias foram criadas para funcionar com praticamente qualquer um (não, psicopatas não estão incluídos!). Isso não significa que a relação será sempre totalmente satisfatória e desprovida de conflitos. Mesmo os melhores amigos e parceiros podem ter discordâncias, até mesmo discordâncias sérias, quando se encontram de mau humor em lados opostos de alguma questão. Aprender a lidar com a irritação, que é inevitável numa relação, é uma habilidade importante que você deve desenvolver para superar as dificuldades de uma relação interpessoal.

COMO LIDAR COM A IRRITAÇÃO EM INTERAÇÕES INTERPESSOAIS

Quando amigos, colegas de trabalho ou familiares se irritam, eles criam estresse. Podem fazer de seu trabalho ou vida doméstica algo muito desagradável. Desenvolver estratégias eficazes para controlar a irritação é a base da boa vontade e de um ambiente mais prazeroso em casa e no trabalho.

Uma estratégia eficaz para controlar a irritação envolve manter o foco da conversa na pessoa irritada, permitindo que ela ventile a irritação e, além disso, fornecendo uma forma de ação direta para lidar com o problema que originou o incômodo. Isso quebra o ciclo da irritação e permite a resolução das situações de crise sem danificar as relações pessoais. As pessoas gostarão mais de você como resultado da sua maneira de lidar com a crise, pois, no fim, você fará a pessoa irritada se sentir melhor ao reduzir seu estresse e, igualmente importante, o seu também. Aqui vão algumas dicas para lidar com a irritação da melhor maneira possível.

Não discuta com pessoas irritadas porque elas não estão pensando logicamente

A irritação dispara a reação "lutar ou fugir", que prepara o corpo, mental e fisicamente, para sobreviver. Durante essa reação, o corpo automaticamente responde a uma ameaça sem pensar conscientemente. Com o aumento da ameaça, a habilidade da pessoa de raciocinar diminui. Pessoas irritadas experimentam o mesmo fenômeno, pois a raiva é uma reação a uma ameaça real ou percebida. Pessoas irritadas falam e agem sem pensar. O nível do comprometimento cognitivo depende da intensidade da raiva. Quanto mais irritação, menor será a capacidade de processar informações logicamente. Indivíduos irritados não aceitam soluções quando estão bravos, pois sua habilidade de pensar logicamente fica comprometida.

O corpo requer vinte minutos para voltar ao normal depois de disparar a reação de luta ou fuga. Em outras palavras, pessoas irritadas precisam de tempo para se acalmar antes de poderem pensar claramente. Elas não conseguem compreender com clareza qualquer explicação, solução ou opção até que voltem a pensar logicamente. Permitir esse período de recuperação é crucial para qualquer estratégia de gestão da raiva. A primeira estratégia para quebrar o ciclo "nunca tentar discutir racionalmente com pessoas irritadas". A raiva precisa ser ventilada antes de se oferecer soluções para os problemas.

Quando confrontar um indivíduo irritado, é muito importante esperar um tempo para que ele "esfrie a cabeça". Um escritor sugere que, quando lidar com um amigo irritado, você deve "sair para a varanda". Isso é outro modo de indicar que você precisa se afastar do fogo e deixar as coisas esfriarem um pouco antes de voltar para as chamas.

Em muitos casos, oferecer uma explicação simples pode acalmar a raiva. As pessoas querem sentir que estão no controle. Pessoas irritadas buscam por alguma ordem num mundo que não faz mais sentido. A incapacidade de encontrar sentido em um mundo desorganizado causa frustração, que é expressa como raiva. Dar uma explicação para um comportamento ou problema geralmente reordena o mundo desorganizado e acalma a pessoa irritada no processo. A seguinte conversa entre um supervisor e um funcionário demonstra o uso dessa técnica.

Supervisor: Quero que você termine seu relatório ainda hoje. Seu comportamento é inaceitável. (irritação)

Funcionário: Eu não consegui terminar o relatório porque não recebi as informações do departamento de vendas. Eles disseram que vão enviar dentro de uma hora. (explicação)

Supervisor: Certo. Termine o relatório assim que possível. (resolução da raiva)

Se a pessoa irritada não aceitar a explicação simples do problema, o potencial para uma discussão verbal aumenta significativamente. A raiva precisa de combustível. O aumento da irritação provoca uma resposta mais intensa, o que por sua vez fornece mais combustível para um supervisor irritado. Se esse ciclo de raiva continuar, em algum ponto o limite da sua própria reação "lutar ou fugir" será ultrapassado, causando a redução da habilidade de pensar logicamente. Resolver problemas se torna impossível quando você e a outra pessoa se perdem nesse ciclo de irritação.

Tente essa "combinação mágica" para quebrar o ciclo da irritação: declarações empáticas, ventilação da irritação e declarações presumíveis

Declarações empáticas capturam a mensagem verbal, a condição física ou as emoções de uma pessoa e, usando linguagem paralela, as refletem de volta para o falante. Ventilar a irritação reduz a frustração. Uma vez que a pessoa irritada ganha uma chance de ventilar sua raiva, ela se torna mais aberta a soluções, pois consegue pensar mais claramente. Declarações presumíveis direcionam a pessoa irritada a realizar uma ação que leva à resolução do conflito. Elas podem ser criadas de tal modo que indivíduos irritados tenham dificuldade para não seguir a ação direcionada. O seguinte diálogo demonstra essa abordagem para quebrar o ciclo da irritação.

Supervisor: Quero que você termine seu relatório ainda hoje. Seu comportamento é inaceitável. (irritação)

Funcionário: Eu não consegui terminar o relatório porque não recebi as informações do departamento de vendas. Eles disseram que vão enviar dentro de uma hora. (explicação)

Supervisor: Isso não é desculpa. Você deveria ter buscado a informação no departamento de vendas. Você sabia como era importante terminar o relatório hoje. Eu tenho uma reunião com o cliente hoje à tarde. Não sei o que fazer. (rejeição da explicação)

Funcionário: Você está irritado porque o cliente está esperando o relatório ainda hoje. (declaração empática)

Supervisor: Sim. Você está danificando minha reputação. (ventilando)

Funcionário: Você está desapontado porque esperava que eu tivesse o relatório já pronto. (declaração empática)

Supervisor: Exatamente. (ombros relaxam junto com um longo suspiro; ventilação completa)

Funcionário: Vou apanhar a informação agora e terminar o relatório antes do seu encontro com o cliente. (declaração presumível)

Supervisor: Certo. Veja o que pode fazer. (resolução da raiva)

UM OLHAR ATENTO DE COMO A "COMBINAÇÃO MÁGICA" FUNCIONA PARA "QUEBRAR O CICLO DA IRRITAÇÃO"

Declarações empáticas

Para quebrar o ciclo da irritação, as declarações empáticas são inestimáveis. Quando uma pessoa irritada ouve pela primeira vez uma declaração empática, ela pode ficar confusa e surpresa. Quando não é esperada, esse tipo de declaração pode inicialmente causar suspeita, mas quando é mantida, fica difícil não apreciar a preocupação que representa. E a empatia rapidamente leva à confiança.

Quanto mais empatia mostrar, mais você entenderá o que a pessoa está pensando sobre aquilo que está dizendo. Como consequência, você poderá modificar sua fala se perceber que a abordagem inicial não está funcionando.

A questão é: como fazer isso? Como mostrar empatia de um jeito eficaz? Como saber o que a outra pessoa está sentindo? O que você precisa observar é o seguinte: 1) o que a pessoa diz; 2) como ela diz; 3) o que ela faz.

Se você quiser direcionar uma pessoa para uma solução, detectar seu estado emocional é o primeiro passo. Quando puder sentir suas emoções, você poderá usar isso para movê-la na direção desejada.

O segredo para perceber os sentimentos de uma pessoa é prestar atenção às mudanças verbais e não verbais em resposta a eventos externos. Se você disser "Como você está?" e os cantos da boca do interlocutor dobrarem para baixo e ele baixar o tom de voz, então você saberá que nem tudo está bem.

Quanto melhor você puder perceber as mudanças em dicas verbais e não verbais, maior será sua potencial habilidade para mostrar empatia. Observe as pequenas mudanças no rosto. Tente detectar a tensão na voz e a ênfase em palavras específicas. Fique atento a palavras emocionais.

Para evitar ficar sobrecarregado com as emoções de outra pessoa, aprenda a entrar e sair da identificação, que faz você sentir o que o outro sente. Entre, teste a temperatura, depois saia para um lugar onde você possa pensar mais racionalmente.

Se você estiver seguro, pode ser uma boa ideia refletir aquilo que você está sentindo das emoções do outro, para checar se entendeu direito. Afinal de contas, o único que pode confirmar a empatia é a pessoa cujas emoções estão sendo vasculhadas. Refletir possui um efeito que igualmente leva o outro a apreciar sua preocupação e, portanto, a aumentar a confiança em você.

Para pessoas que *não* estão irritadas, declarações empáticas podem parecer condescendentes, mas esse não é o caso com quem está irritado, por duas razões. Primeiro, a reação de "luta ou fuga" está acionada, e pessoas irritadas não conseguem pensar racionalmente; nesse caso, declarações empáticas não fogem do comportamento normal humano, e se forem construídas adequadamente, não serão detectadas. Segundo, as pessoas naturalmente pensam que os outros devem ouvir o que elas têm a dizer e entender seu ponto de vista, principalmente quando estão irritadas.

A chave para formular declarações empáticas eficazes é identificar a razão da raiva. Simplesmente dizer "então você está irritado" é uma declaração empática, mas está apontando o óbvio e pode soar condescendente, o que iria alimentar a irritação. Lembro-me de um momento em minha carreira do FBI em que fui destacado para viajar extensivamente. Tínhamos três filhos pequenos na época: um bebê e duas crianças. Numa viagem em particular, fiquei duas semanas fora. Quando abri a porta anunciando minha chegada, esperava um abraço caloroso e um beijo de minha esposa. Isso não aconteceu. Em vez disso, ela me recebeu dizendo: "Já era hora de você chegar. Estou ficando louca sozinha aqui com três crianças". Eu poderia usar uma declaração empática simples do tipo "então você está irritada", mas isso não teria bons resultados. Optei por usar uma declaração sofisticada que reconhecia a raiz da irritação. Disse: "Você está se sentindo sobrecarregada porque eu não estava em casa para ajudar com as crianças". Acertei um ponto sensível. Ela ventilou a irritação. "Eu geralmente saio todas as quartas-feiras com minhas amigas para descansar um pouco das crianças e conversar com outros adultos". Eu poderia ter usado uma declaração simples como "Você sente falta de sair com as amigas", mas, novamente, isso não seria suficiente. Em vez disso, usei outra declaração empática sofisticada que abordava a raiz da irritação. Disse: "Você valoriza o tempo que passa com suas amigas porque isso dá uma chance para descansar do trabalho com as crianças".

A irritação é apenas o sintoma de um problema latente. Declarações empáticas devem ser direcionadas a esse problema. Expor a causa real da irritação irá promover a ventilação, que pode ser controlada com declarações empáticas eficazes.

Ventilando a irritação

Ventilar a irritação é um componente crucial para quebrar seu ciclo, porque reduz a frustração. Declarações empáticas retratam o alvo da irritação como algo não ameaçador, o que reduz o impacto da reação "luta ou fuga" da pessoa irritada. Uma vez que ventila sua frustração, ela se torna mais aberta a soluções, porque consegue pensar mais claramente.

Ventilar a irritação não é um evento único, mas uma série de eventos. A ventilação inicial é geralmente a mais forte, pois permite que a pessoa irritada "queime" a maior parte da irritação logo no começo da interação. Ventilações subsequentes se tornam cada vez menos intensas, a menos que a irritação volte a ser alimentada.

Uma pausa natural ocorre após cada ventilação. Durante essa pausa, você deve formular uma declaração empática. Uma vez que declarações empáticas encorajam a ventilação, a pessoa irritada provavelmente continuará ventilando, embora com menos intensidade. Após a pausa natural seguinte, você deve formular outra declaração empática. Você deve continuar formulando declarações empáticas até que a irritação acabe. Suspiros, respiração profunda, ombros relaxados e olhar para baixo são sinais de que a irritação está acabando. Nesse ponto, você deve introduzir a declaração presumível.

Declarações presumíveis

Declarações presumíveis direcionam os irritados a uma ação que resolva o conflito. Elas são formuladas de tal maneira que quem escuta tem dificuldade para não seguir a direção desejada. Formular declarações presumíveis requer a habilidade de ouvir criticamente. Elas direcionam a força da irritação para uma solução que seja aceitável para os envolvidos.

Vamos voltar para minha chegada constrangedora em casa. Depois de uma série de declarações empáticas, a irritação da minha esposa se esgotou. Ela soltou um grande suspiro e seus ombros relaxaram. A raiva havia passado. Agora era o momento de apresentar declarações presumíveis para direcioná-la a uma ação que traria uma resolução. Formulei a seguinte declaração: "O que você acha de eu levar as crianças para a casa da minha mãe para que nós possamos ir a um restaurante? Você merece". Minha esposa teria dificuldade para negar a ação apresentada. Se rejeitasse minha oferta, teria que admitir que não merecia ir a um restaurante, que não se sentia sobrecarregada e que não precisava de um descanso das crianças. Usando essa técnica, eu efetivamente resolvi uma situação que poderia facilmente ter se transformado numa grande discussão, o que deixaria a ambos irritados e frustrados.

Se uma pessoa irritada rejeitar a declaração presumível, você deve recomeçar a quebrar o ciclo da irritação com uma nova declaração empática. Se minha esposa tivesse rejeitado minha oferta, nossa conversa poderia prosseguir desse jeito:

Eu: O que você acha de eu levar as crianças para a casa da minha mãe para que nós possamos ir a um restaurante? Você merece. (declaração presumível)
Minha esposa: Você não vai escapar assim tão fácil. (rejeição da declaração presumível)
Eu: Então você acha que uma noite fora não é suficiente para compensar o trabalho que teve enquanto eu estive fora. (declaração empática: voltando à quebra do ciclo de irritação)

A rejeição da declaração presumível geralmente indica que a pessoa não ventilou completamente a raiva. Voltar à quebra do ciclo da irritação permite que ela ventile qualquer irritação residual. Algumas pessoas possuem uma raiva profundamente enraizada que pode nunca ser resolvida. Nesses casos, o melhor a fazer é concordar que não há consenso, ou vocês dois podem combinar não mais tocar no assunto sensível. Essas resoluções possíveis produzem limites para sua relação sem precisar terminá-la abruptamente.

O ciclo da irritação pode ser usado em quase todas as situações em que você confronta alguém irritado. A seguinte conversa entre um oficial da alfândega e um visitante estrangeiro ilustra o uso do ciclo da irritação para resolver uma disputa.

Oficial da alfândega: Madame, a senhora não pode trazer terra para este país.
Visitante: Isso é terra sagrada de um território santo. Não vou jogar fora!
Oficial da alfândega: Então você não quer se livrar da terra porque ela é especial para você. (declaração empática)
Visitante: É claro, é especial. É um solo abençoado. Mantém os maus espíritos longe de você. E protege de doenças. Não vou jogar fora e você não pode me obrigar! (ventilando)
Oficial da alfândega: Essa terra mantém os maus espíritos longe e mantém a sua saúde. (declaração empática)
Visitante: Não adoeci desde que ganhei a terra. Eu realmente preciso dela. (ventilando)
Oficial da alfândega: A saúde é muito importante para você. (declaração empática)
Visitante: Sim. (Um suspiro acompanhado do relaxamento dos ombros.)
Oficial da alfândega: Vamos trabalhar juntos para alcançar uma solução para este problema. (declaração presumível) Você gostaria disso? (A visitante não pode dizer "não" sem parecer irracional.)
Visitante: É claro.
Oficial da alfândega: A norma diz que você não pode trazer terra para dentro do país porque os micróbios nessa terra podem infestar plantações. (explicação) Tenho certeza de que você não quer ser responsável por fazer milhões de pessoas doentes, não é? (declaração presumível) (A visitante não pode dizer "sim" sem parecer irracional.)
Oficial da alfândega: Entregue a terra e você poderá começar sua visita aos Estados Unidos.
Visitante: Se preciso mesmo, então vou entregar. (obediência voluntária)

RETORNANDO AO CICLO DA IRRITAÇÃO

No caso do visitante continuar irritado e não entregar voluntariamente a terra, o oficial da alfândega deveria retornar ao ciclo da irritação numa tentativa de quebrá-lo. A seguinte conversa demonstra isso.

Oficial da alfândega: Entregue a terra e você poderá começar sua visita aos Estados Unidos.
Visitante: Não, minha terra não está contaminada. Eu tenho que ficar com ela.
Oficial da alfândega: Você *realmente* quer ficar com a terra. (declaração empática)
Visitante: Eu quero minha terra! Posso ao menos ficar com uma colherada? (movimento em direção a uma obediência voluntária)
Oficial da alfândega: Você está tentando encontrar uma maneira de ao menos entrar com um pouco da terra no país. (declaração empática)
Visitante: Sim, é claro. Posso ficar com ao menos uma colherada? Isso com certeza não machucará ninguém. (movimento em direção a uma obediência voluntária)
Oficial da alfândega: Mesmo a menor quantidade de terra pode causar um grande dano a uma plantação. (explicação) Entregue a terra e você poderá começar sua visita aos Estados Unidos. (declaração presumível)
Visitante: Certo. Se preciso mesmo, vou entregar. Eu realmente não quero causar problemas. (obediência voluntária)

Se a volta ao ciclo da irritação não produzir a obediência voluntária, o oficial da alfândega deveria produzir duas opções e então deixar o interlocutor escolher uma delas. Dar duas opções a uma pessoa irritada cria a ilusão de que ela possui o controle da situação. A seguinte conversa ilustra essa técnica.

Visitante: Eu me recuso a entregar minha terra.
Oficial da alfândega: Você parece muito decidida a ficar com a terra. (declaração empática) A norma diz que você não pode entrar no país carregando a terra. Você terá que tomar uma decisão. A primeira

opção é desistir da terra e entrar no país. A segunda opção é ficar com a terra e não receber permissão para entrar no país. (apresenta duas opções) A decisão é sua. O que acontecerá agora depende de você. Escolha a opção que preferir. (criando a ilusão de que a visitante está no controle)

Visitante: Não tenho escolha real porque quero entrar no país. Você pode ficar com minha terra. (obediência voluntária)

Oficial da alfândega: Você tomou a decisão certa. Bem-vinda à América.

Em cada um dos cenários, o oficial manteve a ilusão de que a visitante estava no controle da situação, mas na realidade a direcionou passo a passo para a obediência voluntária.

Algumas pessoas sentem que estão cedendo sua autoridade quando usam técnicas de obediência que sutilmente influenciam ao invés de intimidar. Ganhar a obediência voluntária pela quebra do ciclo da irritação não apenas incrementa sua autoridade como também reduz a chance de que a interação se deteriore e o interlocutor irritado se torne ainda menos obediente. Através da quebra do ciclo da irritação, existe uma boa chance de que ele aceite a decisão que você queria que ele tomasse e, ao mesmo tempo, sinta que você o tratou com respeito. Esse é o melhor resultado para esse tipo de confronto.

QUANDO A RELAÇÃO SE DETERIORA MESMO APÓS SUA TENTATIVA DE SALVÁ-LA

Se você utilizar as ferramentas descritas neste livro para estabelecer e manter relações saudáveis e felizes, você certamente terá sucesso na maioria das vezes. Mas e se, mesmo após seus melhores esforços, uma relação curta ou longa começar a naufragar? O que fazer? Principalmente interações de longo prazo, nas quais uma significativa quantidade de tempo e comprometimento foram investidos, seria de se esperar que não fossem casualmente descartadas nos primeiros sinais de desgaste. E, de fato, geralmente não são. A maioria dos indivíduos entra em casamentos e em outras formas de relações de longo prazo com a intenção de ficar indefinidamente.

Sim, existem momentos em que mesmo os parceiros mais bem-intencionados e responsáveis acham difícil, quase impossível, permanecer numa relação de longo prazo. Por quê? Existem muitas razões, mas algumas das mais comuns incluem:

- *Uma divergência de interesses.* Indivíduos que compartilharam os mesmos objetivos de carreira aos vinte anos podem ter perspectivas diferentes trinta anos depois. Uma nova carreira ou objetivo de vida pode pesar muito numa relação de longo prazo se os parceiros não concordarem com essas mudanças.
- *A síndrome do "ninho vazio".* Quando as crianças deixam o ninho, um ou os dois pais às vezes escolhem a ruptura.
- *A necessidade de mais liberdade.* Casais que passaram muito tempo juntos, principalmente se eram jovens quando se casaram, às vezes se sentem "presos" e desejando a liberdade que enxergam em seus amigos solteiros. Isso é um clássico caso da "grama do vizinho é mais verde". Pessoas casadas desejam a liberdade que os solteiros possuem, enquanto os solteiros desejam o comprometimento dos casados.
- *A necessidade da mudança.* Você já se perguntou por que pessoas com sessenta ou setenta anos decidem terminar um relacionamento de longo prazo? Às vezes é simplesmente o reconhecimento de que a vida é curta e, se você deseja um estilo de vida diferente, a janela de oportunidade está se fechando rapidamente.
- *Mudanças de personalidade.* Nossa personalidade não é estática nem solidificada na adolescência. Nós mudamos com o tempo, e se essas mudanças afastarem os parceiros, a relação geralmente acaba.
- *Interferência de terceiros.* Cientistas comportamentais debatem há muito tempo se os humanos são "naturalmente" monogâmicos. Enquanto o debate prossegue, relações de longo prazo continuam a naufragar por causa da infidelidade e a substituição do parceiro por um novo interesse romântico.
- *Tédio.* Muito da mesma coisa pode criar o tédio, que por sua vez é um acelerador para o naufrágio das relações, fazendo interações excitantes parecerem comuns e não satisfatórias.

- *Incompatibilidades emergentes.* Enquanto as relações se desenvolvem, as pessoas também se transformam. Isso pode levar a problemas, caso um dos parceiros desenvolva comportamentos inaceitáveis para o outro. Por exemplo, um dos parceiros pode começar a beber ou apostar demais, ou mostrar pouco interesse em sexo, ou se tornar mais recluso, ou até mesmo começar a roncar (para o desespero do parceiro com sono leve).

A boa notícia é que muitos, talvez a totalidade desses problemas pode ser superada com esforço mútuo ou terapia, se as pessoas envolvidas estiverem *comprometidas* a continuar juntas e dispostas a fazer o que for preciso para reparar a relação.

Até mesmo os melhores amigos podem ter as piores discussões!

Boas relações, de curta ou longa duração, necessitam de esforço para florescer. Assim como o jardineiro que deseja que suas plantas e árvores cresçam plenamente, você deve cuidar das relações com carinho, paciência, amor e compreensão se quiser que floresçam. Relações não podem ser deixadas para morrer no primeiro sinal de dificuldade. Você deve ter certeza de que fez todo o possível para salvar a relação antes de considerar terminar tudo.

EM CASO DE DIVÓRCIO... QUEBRE O VIDRO

Uma vez recebi um ótimo conselho que repasso para jovens casais sempre que posso: quando as relações ainda são novas, vibrantes e cheias de amor, escrevam cartas um para o outro. Vocês devem abrir o coração e escrever em detalhes as coisas que gostam e admiram no parceiro. Mas não entreguem as cartas. Em vez disso, coloquem-nas em envelopes lacrados endereçados ao parceiro. Depois guardem numa caixa em algum lugar seguro.

Caso a relação comece a naufragar, vocês podem trocar as cartas. Essa lembrança emocional pode ser suficiente para reavivar os sentimentos de amor e começar uma nova era para o casal. As cartas podem também ser usadas como um quebra-gelo emocional, para motivar a resolução de qualquer questão em que haja um impasse e seja preciso "algo" para colocar os parceiros no caminho da solução dos problemas.

Um homem para quem mencionei essa ideia fez de verdade uma caixa de madeira com um vidro na frente igual a um alarme de incêndio. Ele então fixou um pequeno martelo na caixa com uma corrente. A placa na caixa dizia: "Em caso de divórcio, quebre o vidro". As cartas na caixa serviam como uma constante lembrança ao casal das razões para gostarem e admirarem um ao outro. No meio de uma briga ou discussão, eles podiam comentar: "Chegou a hora de quebrar o vidro?". Essa lembrança nada sutil rapidamente diminuía a tensão e os ajudava a resolver o conflito com sucesso.

8
OS PERIGOS E PROMESSAS DAS RELAÇÕES NO MUNDO DIGITAL

Na internet, todos podem ser quem quiserem. As coisas só se complicam quando você encontra essas pessoas no mundo real.
—TOKII.COM

Aqui vai uma história real. É uma espécie de história de amor que poderia acontecer apenas em nossa era digital. Envolve um professor de 68 anos e uma modelo de biquínis de nacionalidade checa. Esse professor em particular não tinha pouca inteligência: era um físico teórico da Universidade da Carolina do Norte, em Chapel Hill, onde trabalhou por três décadas.

O professor, ainda solitário após seu recente divórcio, visitou alguns sites de namoro e conheceu a bela mulher checa. Após uma série de e-mails, sessões de bate-papo e mensagens instantâneas, ficou óbvio que a linda modelo queria largar a profissão e se casar com ele. Nunca passou por sua cabeça que a mulher na internet poderia ser uma impostora, e ele também nunca se perguntou por que uma jovem modelo atraente o escolheria como marido.

Infelizmente, ele descobriu a razão, mas do jeito mais difícil. Depois de tentar muitas vezes falar com a garota por telefone, ela concordou em sair do mundo virtual e entrar na vida real. Tudo que o professor precisava fazer era viajar para a Bolívia, onde ela trabalhava atualmente, e encontrá-la. Ele concordou prontamente. O resto da história é doloroso para contar.

Após chegar com atraso na Bolívia depois de um problema com a passagem, o professor descobriu que sua "namorada" já havia deixado o país. Entretanto, ela disse para não se preocupar, pois enviaria uma passagem para Bruxelas, na Bélgica, onde ele poderia encontrá-la enquanto fazia uma sessão de fotos. Seu único pedido era trazer uma mala que havia deixado na Bolívia. No aeroporto de Buenos Aires, a mala foi vasculhada. Havia escondidos dentro da mala quase dois quilos de cocaína. Ele acabou acusado de tráfico de drogas, mas felizmente recebeu uma sentença leve.

E qual foi a reação da *verdadeira* modelo checa sobre tudo isso? Medo, por seu nome ter sido associado com tráfico de drogas, e "compaixão" pelo professor, que, é claro, ela nunca havia conhecido na internet ou em qualquer outro lugar. De acordo com Maxine Swann, uma repórter que escreveu a história para o *New York Times*, o professor "declarou que passou um mês na prisão até seus companheiros de cela o convencerem de que a mulher com quem ele pensava que estava conversando era provavelmente um homem".

Baseado nessa história, você pode pensar que eu recomendaria ficar longe do mundo digital para conhecer pessoas e fazer amigos. Entretanto, isso não é verdade. Desde que você consiga discernir amigos de fraudes (e você aprenderá isso neste capítulo), o cenário on-line oferece algumas vantagens distintas.

A INTERNET É ÓTIMA PARA INTROVERTIDOS

Os introvertidos revelam mais informações nas redes sociais do que em encontros cara a cara. Isso acontece porque a dinâmica da internet lhes permite tempo suficiente para formular respostas significativas. Introvertidos também sentem dificuldade para iniciar conversas, principalmente com estranhos. Redes sociais eliminam essa pressão social. Elas também permitem que os introvertidos se expressem sem receber interrupção constante dos extrovertidos. E, finalmente, os introvertidos ficam mais inclinados a dizer aquilo que realmente pensam, sem se preocupar com uma resposta negativa que possa ocorrer, como acontece em comunicações cara a cara.

Facilidade para encontrar "algo em comum"

Se existe um bom lugar para a Lei da Semelhança (Capítulo 4) operar, esse lugar é a internet. Quando se trata de encontrar algo em comum com indivíduos que possuem interesses semelhantes, o mundo digital fornece o ambiente perfeito. Quer encontrar um amigo colecionador de selos? Existe um grupo na internet para isso. Interessado em encontrar pessoas que gostam de carros antigos? Existe um grupo na internet para isso. Procurando por aquele grupo especial de fanáticos por esporte que também são voluntários em abrigos de animais e comem maças orgânicas no estado de Washington? Existe um grupo na internet para isso. Bom, talvez.

O fato é que, com os milhões de indivíduos na internet, salas de bate-papo e grupos de interesse devotados a qualquer atividade, real ou imaginária, a chance de desenvolver amizades com pessoas com algo em comum está a um clique de distância.

Números

Se você estiver procurando por um amigo com qualificações e interesses específicos, onde preferiria olhar: num bar ou outro local público em que haja cem pessoas, ou na internet, onde dezenas de milhões de pessoas esperam por você? A quantidade gigantesca de pessoas que usam a internet aumenta suas chances de encontrar alguém que atenda melhor suas necessidades particulares.

Menor chance de ficar constrangido

O anonimato e a possibilidade de começar e terminar relações utilizando cliques fazem com que seja menos provável ao internauta encarar a humilhação e o constrangimento que acompanham a rejeição cara a cara. É claro, se um usuário postar informações ou fotos de natureza questionável, a chance de constrangimento definitivamente aumenta (como foi o caso de muitos políticos e celebridades nos últimos anos).

Habilidade de pré-qualificar amigos em potencial

Principalmente em sites de namoro, indivíduos procurando por parceiros têm a oportunidade de descrever aquilo que querem de um pretendente. É claro, nem todas as pessoas que leem as qualificações preenchem os requisitos. Muitos indivíduos irão contatar você na internet mesmo quando não possuírem as qualificações desejadas.

Mesmo assim, mecanismos de seleção podem ser benéficos para limitar o número de pessoas que entram em contato.

Oportunidade para "checar as pessoas"

A internet é rica em informações. Ela fornece uma grande quantidade de informações para aquelas pessoas que sabem como consegui-las ou estão interessadas em aprender mais sobre algo ou alguém. A rede deve ser vista como uma ferramenta para aprender mais sobre a pessoa com quem você está considerando desenvolver uma relação, seja essa pessoa alguém que conheceu na vida real ou no mundo virtual. Obviamente, essa busca de informações é mais importante para potenciais amigos virtuais, pois você não possui a vantagem de juntar informações através de dicas verbais e não verbais disponíveis em interações no mundo real.

Não se pode negar que as comunicações on-line mudaram drasticamente o cenário da busca de amigos e a construção de relações. Enquanto essa forma de interação virtual continuar crescendo em popularidade, terá um impacto ainda maior na maneira como as pessoas desenvolvem relações no futuro.

O que isso tudo significa para você? Citando Charles Dickens: "Pode ser o melhor dos tempos; pode ser o pior dos tempos". Quando feito corretamente e com as precauções apropriadas, fazer amizades no mundo digital pode ser uma experiência frutífera; entretanto, mergulhar de cabeça em relações virtuais sem a devida atenção aos potenciais riscos é uma receita para o desastre. Antes de ligar seu notebook ou apanhar seu smartphone, aqui vão algumas coisas importantes para lembrar.

CUIDADO: IMORTALIDADE ADIANTE

Facebook. Twitter. Instagram. Salas de bate-papo. Comunidades. E-mail. Blogs. Mecanismos de busca. Sites de namoro. Um verdadeiro mar de oportunidades para buscar e encontrar pessoas que poderiam se tornar amigas ou mesmo parceiras de longo prazo.

Mas tenha medo ou, parafraseando o famoso trailer do filme *Tubarão*, tenha muito medo do potencial preço que você paga sempre que entra na internet. Qualquer coisa que disser, qualquer site que visitar, qualquer foto que postar, mesmo seus e-mails e mensagens podem ganhar imortalidade instantânea na internet, produzindo pegadas virtuais que, diferente das pegadas reais, não são tão fáceis de limpar!

Além disso, possíveis empregadores, amantes em potencial, perseguidores, empresas e até mesmo agências governamentais estão usando suas atividades virtuais para descobrir coisas sobre você e tomar decisões sobre como tratá-lo, mesmo que a informação usada tenha décadas de idade!

Por favor, não esqueça que aquilo que você postar fará parte da sua identidade... pela eternidade. Sempre que estiver se comunicando pela internet, tenha isto em mente: "Será que eu ficaria constrangido se aquilo que estou prestes a fazer aparecesse na primeira página dos jornais amanhã, daqui a um mês ou em dez anos?". Se a resposta for "sim" ou "talvez", pare e pense antes de apertar o botão "enviar"... Isso pode poupá-lo de muita dor e frustração no futuro.

APRENDA E USE A ETIQUETA DIGITAL NA INTERNET

A tecnologia está evoluindo tão rapidamente que as convenções sociais para se usar computadores e smartphones nem sempre acompanham esse ritmo. Mesmo assim, existem algumas regras gerais que poderão deixar a experiência on-line mais segura e agradável para você e aqueles ao seu redor. Isso também aumentará as chances de fazer amigos, ao invés de inimigos, tanto on-line quanto no lugar físico de onde você estiver enviando mensagens, falando ou buscando.

Smartphones

Num cinema da Flórida, um homem foi morto com um tiro por usar seu smartphone após as luzes terem se apagado. Provavelmente você não vai passar por uma experiência dessas se escolher enviar mensagens numa situação ou local inadequados; entretanto, existem regras simples a seguir para proteger a si mesmo e a suas informações.

1. Todos os dispositivos de comunicação móvel devem ficar em modo silencioso em qualquer local público onde uma chamada possa ser inadequada.

2. Todos os usuários de dispositivos de comunicação móvel devem evitar usá-los em qualquer local público ou privado onde a voz possa distrair ou perturbar o ambiente. (Exemplo: ninguém vai a um restaurante para ouvir sua longa conversa sobre os seus problemas em casa ou no trabalho.)
3. Smartphones *podem* ser hackeados. Fotos e outras informações que você não gostaria que aparecessem no jornal devem ser removidas do seu aparelho.
4. A maioria das contas de celulares fornece um histórico detalhado das chamadas. É melhor não se esquecer disso se você gostaria que os outros não soubessem para quem você ligou ou quem ligou para você.
5. Filmar a si mesmo fazendo coisas que, por falta de uma palavra melhor, possam ser consideradas inadequadas provavelmente não é uma boa ideia. Exemplo: uma mulher do Reino Unido apanhou o smartphone de seu namorado e encontrou imagens dele fazendo sexo com um cachorro. Para piorar, era o cachorro dela! Sua reação não foi reportada.
6. *Sexting* [sexo escrito] – principalmente quando fotos são incluídas – pode não ser uma boa ideia, mesmo entre marido e mulher. Essas fotos de um jeito ou de outro acabam aparecendo na internet, principalmente se o marido e a esposa se divorciam e um deles for uma pessoa vingativa.
7. Não deixe o mundo virtual atrapalhar as relações no mundo real. A tolerância das pessoas varia em relação a conversas no celular (e o constante checar das mídias sociais) de seus parceiros. Mesmo se o parceiro (ou qualquer pessoa na sua companhia) for mais tolerante do que a maioria, ainda é considerado inadequado atender chamadas, checar mensagens e frequentemente olhar para o celular durante seu tempo juntos. Num capítulo anterior sobre comunicação verbal, apontei o quanto é importante ouvir atentamente a pessoa com quem você está conversando. Isso mostra interesse e respeito, criando um ambiente superior para fazer as pessoas gostarem de você e manter as amizades. Se você insistir em olhar o celular como um cordão umbilical na presença de outras pessoas, não espere o nascimento de uma boa relação.

8. Uma vez que os celulares mantêm seu código de área inicial (independentemente de onde estejam sendo usados) e, além disso, por causa da transmissão nem sempre ser clara, quando você entregar seu número de celular é importante começar com o código de área e repetir todo o número. Desse jeito, você aumenta suas chances de que a pessoa terá a informação necessária para chamá-lo de volta.

Mensagens eletrônicas (e-mail)

1. E-mails se posicionam entre mensagens de texto e cartas quando se trata do uso de linguagem formal ou informal. Obviamente, e-mails para possíveis empregos ou contatos importantes devem refletir a linguagem de uma carta mais tradicional, com boa escrita e gramática. Dito isso, é aconselhável manter *todos* os e-mails livres do tipo de abreviação normalmente usado em mensagens de texto instantâneas, e nunca se esqueça de checar erros de digitação antes de enviar o e-mail.
2. Pense cuidadosamente em seu apelido quando usar e-mails. Um apelido aceitável entre amigos pode ser muito inadequado quando contatar um possível empregador ou o diretor da escola do seu filho. Um dos meus colegas que ensina numa faculdade de administração me mostrou uma lista com seus apelidos favoritos, que incluíam nomes usados pelos alunos quando procuravam por emprego. O primeiro da lista era "melambe".
3. Não escreva e-mails apenas com letras maiúsculas (DESSE JEITO). Isso é o equivalente a gritar numa interação verbal, e é considerado grosseria.
4. Nunca escreva um e-mail quando você estiver extremamente irritado ou perturbado. Num capítulo anterior, enfatizei que as pessoas nesse estado não conseguem pensar direito. Um e--mail escrito durante esse período geralmente reflete essa falta de raciocínio claro. Se você precisa mesmo escrever uma men-

sagem, não a envie; ao menos não imediatamente. Deixe-a de lado por várias horas e depois leia de novo quando você estiver mais calmo e conseguir pensar claramente. Só então você pode considerar enviar... Provavelmente após várias revisões. Outra boa razão para não enviar imediatamente um e-mail irritado é seu potencial para piorar a situação. O problema pode ser resolvido (ou desaparecer) dentro de algumas horas se for "deixado de lado". Uma resposta apressada e irritada elimina essa possibilidade.

5. Quando estiver pronto para enviar um e-mail, nunca se esqueça de checar para quem está sendo enviado. Muitos incidentes constrangedores poderiam ser evitados se o emissor tivesse checado se o destinatário era uma pessoa específica, e não a opção "responder a todos".

6. Um e-mail pode ser "eterno" (ou ao menos existir na internet por meses, até mesmo anos). Uma vez que um e-mail é enviado, ele pode ganhar vida própria: pode se reproduzir, ser reenviado, arquivado. Sempre que escrever um e-mail, você deve se perguntar: "O que aconteceria se este e-mail se tornasse público? Eu o enviaria mesmo assim?".

7. E-mails deletados ainda podem ser recuperados meses após serem "apagados". Isso acontece porque muitos servidores de internet "salvam" e-mails deletados em seus computadores. A recuperação de e-mails supostamente "deletados" já revelou muitas informações delicadas sobre indivíduos que pensavam que esses dados haviam sido destruídos com segurança. Muitas vezes, as pessoas descobrem isso de forma perturbadora, quanto estão encarando um tribunal.

8. Nunca abra um anexo de e-mail a menos que tenha certeza de que conhece a pessoa que o enviou – e que foi realmente essa pessoa quem enviou. (Endereços de e-mail às vezes são acessados ilegalmente e depois usados para enviar mensagens contendo vírus para a lista de contatos da vítima. A mensagem parece legítima, pois foi enviada por um computador invadido.) No geral, é melhor não abrir nenhum anexo, a menos que

seja absolutamente necessário. Proteger seu computador com programas antivírus que vasculham os anexos é aconselhável; do contrário, abrir anexos no seu computador se assemelha a fazer sexo sem proteção.

Redes sociais (Facebook, Twitter, Tumblr etc.)

1. Os mecanismos de busca das redes sociais variam quando se trata de filtrar quem pode ou não ver suas postagens. Aprenda sobre esses filtros para usá-los adequadamente.
2. Pense que qualquer coisa que você postar numa rede social pode ser acessada e reproduzida por outras pessoas. Além disso, tenha em mente que aquelas fotos em que você aparece bebendo e se divertindo em festas poderão um dia ser acessadas por um possível empregador, um parceiro em potencial ou mesmo seus pais e sogros!
3. Como regra geral, é melhor limitar suas pegadas digitais. Uso excessivo de redes sociais aumenta sua trilha virtual e pode causar problemas no futuro.
4. Tenha cuidado com quem você adiciona como amigo!

DETETIVES DIGITAIS

Como você já deve ter percebido, eu viajo bastante. Certa vez, me aproximei do balcão no aeroporto em Nashville para ver se conseguiria embarcar num voo mais cedo, mas esta história não é sobre conseguir um voo melhor. Os funcionários no balcão, um homem e uma mulher, estavam inspecionando atentamente uma câmera digital muito cara. Ouvi comentarem um com o outro: "Não há nenhum nome marcado ou informações sobre o dono. Temos que descobrir de quem é e devolver". Perguntei o que estavam fazendo. Ao mesmo tempo, eles responderam: "Nós somos os agentes do 'FBI' da American Airlines". Eu disse que era um agente do FBI de verdade, embora já aposentado. Perguntei como poderiam descobrir quem era o dono sem qualquer pista. O homem explicou que eles ligariam a câmera e buscariam pistas nas fotos. Fiquei intrigado enquanto observava os dois no processo de resolver aquele enigma digital. Enquanto vasculhavam as fotos datadas, juntavam as pistas. O dono era um homem de descendência espanhola. Parecia que tinha passado três dias em Las Vegas, provavelmente a trabalho, pois não havia fotos de família. Tinha se hospedado no hotel Bellagio. Eles continuaram vasculhando as fotos. A mulher exclamou de repente: "Encontrei!". Mostrou-me uma foto que havia sido tirada na semana anterior. Mostrava uma casa de madeira com detalhes em azul. Olhei para a foto, mas não entendi por que ela ficou tão animada. Apontou para a casa e disse: "Esse tipo de casa geralmente é construída no noroeste do país". Certo, pensei, e daí? Ela então me mostrou uma placa de venda que quase não dava para enxergar. "Certo", eu disse, sem entender direito a importância da placa. Ela usou o zoom da câmera para anotar o endereço e o telefone da imobiliária, que ficava em Columbia, na Carolina do Sul. Finalmente entendi. "O dono provavelmente morava em Columbia, pois as pessoas geralmente não tiram fotos de casas para vender a menos que estejam considerando comprar." A mulher acrescentou: "Um voo saiu mais cedo para Columbia, na Carolina do Sul". Ela acessou a lista de passageiros e, felizmente, havia poucos nomes de origem espanhola. Tive que embarcar em meu voo, mas tenho certeza de que os investigadores da American Airlines localizaram o dono e devolveram a câmera. Fiquei impressionado com a facilidade para descobrir a trilha do dono da câmera usando apenas algumas pistas digitais abstratas, e ainda mais impressionado pelo trabalho dos funcionários para devolver a câmera. Eles disseram que devolviam muitos aparelhos esquecidos usando métodos semelhantes. A moral da história é que, num mundo digital, é difícil se manter anônimo. Tenha isso em mente da próxima vez que postar algo na internet ou fizer algo tão simples quanto tirar uma foto.

O QUE VOCÊ PRECISA SABER ANTES DE DESENVOLVER RELAÇÕES ON-LINE

A internet fornece um ambiente fértil para amizades crescentes e até mesmo relações para a vida toda. Isso levou ao desenvolvimento de sites que facilitam o "namoro" virtual e a busca de parceiros ideais. As pessoas que criam esses sites afirmam seu sucesso em juntar as "almas gêmeas" usando mecanismos de busca com o quais as pessoas se encontram on-line e, eventualmente, estabelecem compromissos de longo prazo no mundo real.

Usar a internet para encontrar a pessoa certa pode ser uma experiência recompensadora. E também pode ser um verdadeiro inferno. Como será a *sua* experiência depende de muitos fatores, a maior parte dos quais será discutida aqui. Embora ninguém possa garantir que suas relações virtuais serão bem-sucedidas e livre de problemas, existem algumas coisas que você pode fazer para aumentar as chances de ter resultados positivos – e reduzir os negativos – quando se trata de escolher amigos e potenciais parceiros na internet.

AMOR AO PRIMEIRO CLIQUE

O jovem rapaz era uma estrela do futebol americano do time do Notre Dame que se apaixonou por uma garota que conheceu na internet. Mas então aconteceu uma tragédia: sua amada morreu de leucemia. Para piorar as coisas, ela morreu no mesmo dia que a avó do jogador faleceu.

A tragédia dupla do jogador se tornou assunto nacional. Mas a história logo foi eclipsada por uma história ainda maior: acontece que a garota não havia morrido, pois, em primeiro lugar, nunca viveu! Ela era uma pessoa criada na internet por alguém com um senso de humor mórbido.

E temos também a saga de Sana e Adnan Klaric. Aparentemente, seu casamento não estava indo bem, e então, sem o conhecimento um do outro, os dois assumiram um apelido falso, Sweetie e Prince of Joy, respectivamente, e entraram numa sala de bate-papo reclamando do casamento e buscando por uma nova alma gêmea.

Levou um tempo, mas finalmente os dois encontraram interlocutores que pareciam se identificar com seus problemas e forneciam as palavras de conforto de que eles tanto sentiam falta no casamento.

Sana e Adnan sabiam que tinham achado o verdadeiro amor de suas vidas. Eles concordaram em encontrar seus novos parceiros num local e hora pré-determinados. No grande dia, ambos arranjaram desculpas para o cônjuge, certificando-se de que sua indiscrição não seria detectada. Então saíram para encontrar seus amores virtuais, que pareciam os substitutos perfeitos para o que tinham em casa.

Quando chegaram no local combinado, Sana e Adnan encontraram seus amores virtuais pela primeira vez. E *não* foi amor à primeira vista. Acontece que eles estavam tendo um caso on-line um com o outro sem saber disso.

Talvez seja melhor deixar para os especialistas decidirem se Sana e Adnan estavam sendo infiéis, já que é difícil imaginar cometer adultério com seu próprio parceiro; entretanto, Sweetie e Prince of Joy não gostaram da situação e, até onde se sabe, acusaram um ao outro de infidelidade e pediram divórcio.

O que todas essas histórias demonstram?

1. Relações desenvolvidas na internet podem ser tão poderosas quanto aquelas desenvolvidas em interações face a face, às vezes até mais.
2. Na internet, as coisas nem sempre são o que parecem.
3. Se um físico de alto padrão pode ser enganado na internet, então isso provavelmente pode acontecer também com você.
4. Existem pessoas mal-intencionadas povoando a internet assim como o mundo real.
5. Fraudes envolvendo relações na internet são mais comuns do que se pode imaginar. Elas se tornaram tão comuns que um documentário, uma série da MTV e um longa-metragem foram lançados baseados nesse problema. Isso até ganhou um nome, *catfish*, que se refere, segundo o advogado especialista em internet Parry Aftab, a "qualquer pessoa que finge ser outro indivíduo em redes sociais. Acontece o tempo todo". Incrementei a expressão para "catphish", para incluir também os hackers que usam uma atividade chamada "phishing", que rouba a identidade das pessoas on-line.
6. Por causa do "manto de sigilo" que a internet fornece, as pessoas dizem coisas no mundo virtual que nunca diriam numa interação pessoal.
7. Na internet, assim como na vida real, se for bom demais para ser verdade, então provavelmente é! Redes sociais podem ser perigosas. Nenhuma comunicação postada na internet possui garantia de permanecer privada. Você deve assumir que suas postagens são permanentes e públicas.
8. Assim como em comunicações face a face, fingir ser outra pessoa geralmente leva a resultados desagradáveis.

9. Existem coisas que você pode fazer para navegar de um jeito mais seguro e eficaz. Nas próximas páginas você poderá encontrar algumas sugestões que podem não ser relevantes para quem está procurando o amor na internet, mas serão úteis para qualquer pessoa buscando amigos no mundo virtual.

TESTANDO A VERACIDADE NO MUNDO VIRTUAL E NO MUNDO REAL

Deixar nossos filhos adolescentes explorarem livremente a internet, principalmente minha filha, foi uma proposta assustadora para mim e minha esposa. Então ensinei a eles algumas técnicas que eu usava em suspeitos para determinar se estavam falando a verdade. Fiz isso para ajudar a protegê-los de predadores virtuais e reais. Agora ofereço a você essas técnicas pela mesma razão, para ajudá-lo a se proteger contra comunicações enganadoras tanto on-line quanto off-line. Os resultados desses testes de veracidade aparentemente inócuos não são prova absoluta de fraude, mas fornecem fortes indicadores de que alguém pode estar mentindo ou, no mínimo, forçando a verdade para além de limites aceitáveis.

A TÉCNICA DO "ENTÃO..."

Quando você faz uma pergunta direta do tipo "sim ou não" e a pessoa começa a resposta com um "então...", existe uma alta probabilidade de você ouvir uma mentira. Isso indica que a pessoa respondendo a questão está prestes a oferecer uma resposta que ela sabe que você não está esperando. A seguinte conversa mostra a técnica em ação.

> *Pai:* Você terminou a lição de casa?
> *Filha:* Então...
> *Pai:* Vá para seu quarto e termine a lição.
> *Filha:* Como você sabe que eu não terminei?
> *Pai:* Sou um pai. Eu sei essas coisas.

O pai não precisou esperar a filha terminar de responder porque ela evitou responder diretamente. Sabia que o pai esperava um "sim" para a pergunta.

Em outro exemplo, interroguei uma pessoa que eu achava que havia testemunhado um assassinato. A pessoa estava próxima da cena do crime, mas negou ter visto qualquer coisa. Após ter me dado algumas respostas evasivas, decidi testar sua veracidade perguntando uma questão direta do tipo "sim ou não".

Eu: Você viu o que aconteceu?
Testemunha: Então... de onde eu estava era difícil ver qualquer coisa. Estava escuro e tudo aconteceu muito rápido.

Fiz uma pergunta direta para a qual ele sabia que eu esperava um sim. Uma vez que começou a resposta com "então...", eu soube que estava prestes a responder algo diferente. Deixei a testemunha terminar de responder para não alertá-la da minha técnica.

A técnica do "então..." só funciona com perguntas diretas do tipo "sim ou não". Começar uma resposta com "então" depois de uma pergunta aberta como "Quem vai ganhar o campeonato?" indica que a pessoa está avaliando como responder. Você deve permitir que os outros terminem suas respostas para não alertá-los sobre a técnica. Não se esqueça de que, se o interlocutor perceber a técnica, irá começar a evitar usar o "então" deliberadamente.

Pratique o hábito de usar questões diretas do tipo "sim ou não" e fique atento às respostas. Responder uma questão dessas com "então...", ou não responder diretamente, é um forte indicador de mentira, e será necessária uma investigação maior.

A TERRA DO É

Quando as pessoas escolhem não responder com sim ou não, elas entram na *Terra do É*. A Terra do É, em inglês *The Land of Is*, ocupa o espaço entre a verdade e a mentira por causa das várias conotações que a palavra *"is"* pode receber na língua inglesa. Essa área cinzenta contém um labirinto de meias-verdades, desculpas e suposições. A famosa declaração do ex-presidente Bill Clinton para o tribunal inspirou o conceito da Terra do É. Parafraseando o que Clinton disse: "Depende de qual é o significado da palavra *é* [nessa declaração]. Se *é* [naquela frase específica] significar 'nunca aconteceu', então isso é uma coisa. Se significar 'não existe', o depoimento foi absolutamente verdadeiro". Clinton espertamente levou o promotor para a Terra do É para evitar responder diretamente a questão do tipo "sim ou não".

A seguinte conversa entre uma mãe e sua filha demonstra essa técnica.

Mãe: Sua professora ligou hoje e disse que suspeita que você colou na prova. Você fez isso?
Filha: Eu passo duas horas estudando de noite. Estudo mais do que qualquer pessoa que eu conheço. As pessoas que não estudam são aquelas que precisam colar nas provas. Eu estudo o tempo todo. Não me acuse de cola!
Mãe: Não estou acusando você de nada.
Filha: Está sim!

A mãe perguntou uma questão direta do tipo "sim ou não". A filha escolheu não responder com uma simples resposta, e em vez disso levou a mãe para um passeio na Terra do É. Terminou a resposta com uma acusação, o que fez a mãe entrar na defensiva. O assunto já não era sobre trapacear, mas sobre a mãe fazendo acusações infundadas.

A mãe poderia se prevenir contra a Terra do É reconhecendo que a técnica estava sendo usada e depois redirecionando a conversa de volta para o assunto inicial. Por exemplo:

Mãe: Sua professora ligou hoje e disse que suspeita que você colou na prova. Você fez isso?
Filha: Passo duas horas estudando de noite. Estudo mais do que qualquer pessoa que eu conheço. As pessoas que não estudam são aquelas que precisam trapacear nas provas. Eu estudo o tempo todo. Não me acuse de cola!

Mãe: Eu sei que você estuda muito e tem boas notas. Não foi isso que perguntei. Perguntei se você colou ou não na prova. Você colou na prova?

Redirecionar a conversa de volta para a questão inicial força a filha a responder a pergunta "Você colou na prova?". Ela deve responder sim ou não ou voltar para a Terra do É. Não usar "sim ou não" para responder a esse tipo de pergunta não é prova de mentira, mas a probabilidade aumenta significativamente. Se a filha não tivesse trapaceado, responder "não" seria fácil. A verdade é simples. A verdade é direta. A verdade não é complicada.

POR QUE EU DEVERIA ACREDITAR EM VOCÊ?

Quando alguém responder a uma pergunta que você fez, simplesmente pergunte de volta "Por que eu deveria acreditar em você?". Pessoas honestas geralmente respondem "Porque estou falando a verdade", ou alguma variação disso. Pessoas honestas simplesmente transmitem informações. Eles se concentram na apresentação correta dos fatos. Por outro lado, os mentirosos tentam convencer as pessoas de que aquilo que estão dizendo é verdade. Seu foco não é apresentar os fatos corretamente, mas convencer o ouvinte de que os fatos apresentados são verdadeiros. Uma vez que os mentirosos não podem depender de fatos para estabelecer sua credibilidade, tendem a se vangloriar de sua credibilidade para fazer sua versão dos fatos parecer crível.

Quando as pessoas respondem com outra coisa que não seja "Porque estou falando a verdade" ou suas variações, diga a elas que isso não respondeu à questão e repita "Por que eu deveria acreditar em você?". Se mais uma vez elas não responderem com "Porque estou falando a verdade" ou suas variações, a probabilidade de mentira aumenta. A seguinte conversa entre pai e filho demonstra essa técnica.

Pai: Havia dez dólares na minha gaveta hoje de manhã. Não estão mais lá. Você pegou dinheiro na minha gaveta por alguma razão?
Filho: Não.

Pai: Filho, eu quero acreditar em você. Mas está difícil. Diga-me. Por que eu deveria acreditar em você?

Filho: Não sou ladrão.

Pai: Não perguntei se você é ladrão ou não. Perguntei por que eu deveria acreditar em você. Por que eu deveria acreditar em você?

Filho: Porque eu não roubei o dinheiro. Estou dizendo a verdade.

Pai: Eu sei que está e acredito em você.

Nessa conversa, o filho respondeu dizendo que não era ladrão. Isso não respondeu a questão "por que eu deveria acreditar em você?". O pai deu outra chance dizendo que a pergunta não era sobre ele ser ladrão ou não, mas "por que eu deveria acreditar em você?". Então, o filho respondeu "Porque eu não roubei o dinheiro. Estou dizendo a verdade.", o que indica que ele provavelmente estava dizendo a verdade. A resposta correta à questão não significa necessariamente que ele disse a verdade, mas diminui as chances de estar mentindo.

Em conversas, principalmente na internet por mensagens de texto, use essas técnicas simples e não invasivas para testar a veracidade do interlocutor. Elas são tão sutis que ninguém perceberá que está sendo testado. Embora sejam apenas indicadores de mentira, e não provas, elas fornecem uma forte linha de defesa contra predadores on-line.

DETECTANDO MENTIRAS EM PERFIS DE REDES SOCIAIS

A maioria das pessoas não descrevem a si mesmas com precisão em perfis de redes sociais, principalmente em sites de namoro. Os pesquisadores Toma, Hancock e Ellison pesquisaram pessoas que enviaram perfis para vários sites de namoro. Impressionantes 81% dos usuários mentiram sobre um ou mais de seus atributos físicos, incluindo altura, peso e idade. As mulheres tendiam a mentir sobre o peso, e homens tendiam a mentir sobre a altura. Mulheres com peso maior do que a média mentiam mais sobre seu grau de obesidade. Igualmente, homens cuja altura fugia da média mentiam mais sobre o quanto eram altos. As pessoas que responderam à pesquisa relataram que teriam mais chances se mentissem sobre sua aparência do que sobre informações como estado civil e o número de filhos que possuíam.

Num outro estudo de Hancock e Toma, eles descobriram que cerca de um terço das fotos examinadas não eram precisas. As fotos das mulheres eram consideradas menos precisas do que as fotos dos homens. As mulheres tendiam a ser mais velhas do que as fotos mostravam. Havia mais probabilidade de as fotos femininas terem sido editadas no Photoshop ou clicadas por profissionais. Além disso, pessoas menos atraentes tendiam a incrementar mais seus perfis. O achado mais interessante foi que, embora as pessoas mentissem frequentemente em seus perfis, tentavam manter as alterações dentro de parâmetros críveis para o caso de encontrarem pessoalmente seus pretendentes.

A magnitude das mentiras em perfis de redes sociais não é uma grande surpresa. Um perfil desses é o equivalente a um primeiro encontro. Qualquer pessoa que já viveu um primeiro encontro irá se lembrar de tentar impressionar. (Assim como numa entrevista de emprego, quando vestimos nosso melhor terno.) Em primeiros encontros, as mulheres se vestem com grande cuidado e gastam uns minutos a mais aplicando a maquiagem. Os homens se certificam de que suas roupas combinam. Conversas são ensaiadas previamente. Falhas de personalidade e comportamentos estranhos são cuidadosamente camuflados com uma educação impecável. Esses cuidados extras são feitos para causar a melhor primeira impressão possível.

Mostrar o seu melhor lado num primeiro encontro não é considerado uma falsidade porque esse lado ainda é reconhecidamente seu, embora seja um lado melhorado. As pessoas que se apresentam na internet deveriam tentar exibir um lado positivo em seus perfis, mas permanecer dentro dos limites da verdade em relação a fotos e à descrição de quem são. Da mesma maneira, quem usa a internet para buscar relações em potencial deve aprender a olhar perfis com certa desconfiança, reconhecendo que o dono do perfil nunca parecerá mais atraente ou qualificado do que a foto ou descrição postada.

Os homens e as mulheres sentem a necessidade de alcançar padrões de beleza que a sociedade estabelece e que a mídia reforça. Mentem para se aproximar desses padrões numa tentativa de atrair amigos ou parceiros. Quem acha que não alcança esses padrões se sente menos atraente e tem menos confiança de poder atrair ou manter um parceiro sem mentir. Isso não mudará no futuro próximo; ao contrário, provavelmente se intensificará com a crescente popularidade das redes sociais e dos sites de namoro.

Qualquer um que busque relações na internet deve estar ciente da linha que separa um perfil com a "melhor impressão" de um perfil mentiroso. Um perfil mentiroso pode atrair um amigo ou pretendente, mas, uma vez que a mentira for descoberta, a decepção, a falta de confiança e a traição se tornarão a peça central da relação, no lugar da excitação, da esperança e dos sonhos. Se você quiser se aventurar no mundo das relações via internet, seja honesto em seu perfil e seja paciente. A relação certa faz a espera valer a pena.

COMO REDUZIR AS CHANCES DE CAIR NUMA ROUBADA

Uma rápida olhada, um movimento de cabeça ou uma leve mudança no tom de voz fornecem dicas sobre a personalidade, a sinceridade ou a veracidade de uma pessoa. Como já citamos neste livro, nosso cérebro constantemente monitora dicas verbais e não verbais para avaliar se os outros são ou não potenciais ameaças. Se as dicas forem sinais amistosos, então o cérebro tende a ignorar os comportamentos. Se forem sinais inimigos, ele inicia a reação "lutar ou fugir" e nós ativamos os escudos para nos proteger contra a potencial ameaça.

Dicas verbais e não verbais podem passar por mudanças dramáticas numa fração de segundo. Monitorar essas mudanças pode significar a diferença entre a felicidade ou o inferno numa relação. As pessoas se sentem mais confortáveis usando dicas verbais e não verbais para avaliar os outros, e dependem muito desse método para proteger a si mesmas contra iniciar ou continuar uma relação ruim.

Relações de internet não possuem essas dicas necessárias para as pessoas fazerem julgamentos semelhantes. Emoticons ajudam a decodificar comunicações escritas, mas isso não é suficiente. Decodificar a personalidade, sinceridade e veracidade de um interlocutor invisível requer habilidades adicionais com a comunicação virtual. As pessoas não conseguem julgar direito seus parceiros na internet porque as dicas que normalmente recebem em interações face a face simplesmente não existem. O método mais confiável que possuem para avaliar os outros não está disponível. Elas precisam confiar em técnicas novas que ainda não foram testadas. O cérebro não juntou informações suficientes para discriminar entre sinais amistosos ou inimigos em comunicações da internet. Adquirir esse tipo de habilidade leva tempo. Aqui vão alguns dos problemas em potencial que você pode encontrar quando tentar determinar a veracidade e o valor de relações virtuais em potencial.

VIÉS DA VERDADE

Os seres humanos tendem a crer uns nos outros. Esse fenômeno, conhecido como *viés da verdade*, permite à sociedade e ao comércio funcionarem de um jeito eficaz. Se o viés da verdade não existisse, passaríamos uma grande quantidade de tempo checando informações recebidas dos outros. O viés da verdade também serve como um padrão social. Relações com amigos e colegas de trabalho se tornariam tensas se fosse preciso constantemente questionar sua veracidade. Consequentemente, geralmente acreditamos nos outros até que surjam evidências do contrário.

O viés da verdade fornece aos mentirosos uma vantagem, pois as pessoas querem acreditar naquilo que ouvem, veem ou leem. Mas ele diminui quando há consciência da possibilidade de embuste. O viés da verdade predispõe as pessoas a acreditarem naquilo que leem em e-mails e mensagens de texto. Sem as dicas verbais e não verbais, a veracidade de comunicações escritas não é tão facilmente questionada.

Outra característica do viés da verdade aparece quando os indivíduos percebem as pequenas contradições numa história contada: eles tendem a ignorar essas discrepâncias porque, do contrário, estariam questionando as palavras e o comportamento do mentiroso. É mais fácil ignorar pequenas discrepâncias do que confrontar o interlocutor. A melhor defesa contra o viés da verdade no mundo virtual é exercer seu ceticismo saudável e usar a técnica da "hipótese contrária", que veremos a seguir.

O EFEITO DE PRIMAZIA

O viés da verdade cria o efeito de primazia. O efeito de primazia, como você se lembra do Capítulo 3, gera um filtro através do qual enxergamos as comunicações e eventos. O efeito de primazia não muda a realidade, mas altera nossa percepção da realidade. O viés da verdade cria um filtro de primazia. Qualquer coisa que uma pessoa escreva tende a ser avaliada como verdadeira, a menos que exista algo que desperte a dúvida. Sem as dicas verbais e não verbais, os indivíduos ficam em desvantagem quando precisam julgar a comunicação escrita na internet.

A HIPÓTESE CONTRÁRIA

Criar uma hipótese contrária previne que o viés da verdade e o efeito de primazia prejudiquem sua habilidade de julgar o caráter e a veracidade de quem está escrevendo para você. Hipóteses não passam de palpites incrementados. Uma hipótese contrária é um palpite incrementado que supõe um resultado diferente baseado nas mesmas circunstâncias.

Por exemplo, digamos que uma hipótese diz que a pessoa que escreveu para você é honesta e está dizendo a verdade. Uma hipótese contrária diria que a pessoa que escreveu é um impostor e mentiroso. Durante suas conversas na internet (por exemplo, com mensagens instantâneas) você deve buscar evidências para fundamentar sua hipótese inicial (o emissor é honesto e diz a verdade) ou a hipótese contrária (o emissor é um impostor e mentiroso).

Raramente todas as evidências apoiam a hipótese inicial ou a hipótese contrária, pois pessoas honestas dizem e fazem coisas que podem parecer desonestas, assim como pessoas desonestas geralmente dizem e fazem coisas que parecem honestas. Mas no fim, o peso da evidência deve apoiar uma hipótese em detrimento da outra. Combater os efeitos do viés da verdade e o efeito de primazia reduz sua chance de ser enganado na internet.

LEIS DA ATRAÇÃO

Como discutimos no Capítulo 4, pessoas atraentes recebem tratamento preferencial e mais atenção do que indivíduos menos atraentes. O efeito da beleza física é reduzido nas comunicações da internet, a menos que uma foto acompanhe o perfil on-line. Tenha em mente que é normal mentir nos perfis para aumentar a habilidade de atrair parceiros. Uma vez que não existe interação face a face na troca de mensagens, não há um ponto de referência para julgar essas comunicações.

O contraste possui um importante papel na atração. Quando duas pessoas estão juntas, elas tendem a ser comparadas uma com a outra. Na ausência de uma segunda pessoa para fazer comparações, um indivíduo tende a comparar o outro com uma pessoa "ideal". Quando você conversa com alguém na internet via texto, terá a tendência de comparar seu interlocutor com essa pessoa idealizada. Com o tempo, há a tendência de atribuir as características desta "pessoa ideal" àquela com quem você está conversando na internet. Essa atribuição errônea aumenta a chance de que você seja vítima de um embuste.

CONSTRUINDO A CONEXÃO

Construir conexão na internet depende apenas do texto escrito, assumindo que não seja usado nenhum tipo de transmissão de fotos ou vídeos. Isso limita a técnica que as pessoas normalmente usam para estabelecer conexão em comunicações face a face. Como já mencionado neste livro, encontrar algo em comum é uma poderosa técnica para estabelecer conexão. Para encontrar algo em comum com alguém na internet, você deve revelar informações pessoais para a pessoa com quem está trocando mensagens. Revelar esse tipo de informação é outra técnica poderosa para desenvolver conexão. Uma vez que as comunicações na internet são anônimas, há a tendência a revelar mais informações, e a fazer isso mais rapidamente do que se faria cara a cara. Uma razão para isso é que o emissor não possui dicas verbais e não verbais sobre a aceitação ou rejeição da informação pelo receptor.

Quando as pessoas recebem dicas de rejeição em comunicações face a face, tendem a parar de revelar informações. Isso não acontece na internet. De fato, como resultado tende-se a aumentar a revelação de informações pessoais delicadas. Isso eleva a relação a um patamar mais alto. Consequentemente, pula-se um degrau vital no processo de desenvolvimento da relação. Durante esse passo vital em comunicações cara a cara, os possíveis parceiros têm uma oportunidade para lentamente revelar informações usando dicas verbais e não verbais, dando ritmo ao desenvolvimento da relação e à liberação de informações. Se as coisas derem errado durante esse passo inicial, as duas pessoas podem se separar sem terem revelado demais. Por causa da ausência desse patamar vital nas comunicações escritas, nas quais não há interação face a face, as chances de ser enganado aumentam.

Recrutar pessoas para espionar para os Estados Unidos segue um caminho semelhante na construção da relação. É preciso paparicar os espiões. Os passos necessários para desenvolver amizades próximas ou relações amorosas são os mesmos para convencer uma pessoa a se tornar um espião. Em muitos casos, tentei apressar a relação por causa das demandas operacionais. Esses recrutamentos sempre falhavam, porque eu pulava o passo inicial para o desenvolvimento de relações. Ele é crucial. Revelar informações cedo demais irá prejudicar a relação. Seu alvo irá se afastar. Como mencionado antes, um parceiro é visto como "rápido" demais ou "lento" demais se os passos esperados para o desenvolvimento da relação são apressados ou desacelerados. Relações de internet muitas vezes violam essas expectativas porque os parceiros são lançados a um patamar mais alto antes de estarem preparados psicologicamente para isso, o que cria vulnerabilidades para ambos.

INVESTIMENTO EMOCIONAL

Quanto mais durar o relacionamento virtual, mais provavelmente os parceiros continuarão nessa relação por causa do profundo investimento emocional. Isso não significa que sejam um bom casal; mas, por terem passado muito tempo na interação, eles não sentem que podem simplesmente desistir e, além disso, a relação se desenvolveu até um ponto onde o volume de informações reveladas cria vulnerabilidades tão grandes que impedem o rompimento.

UM EXEMPLO DE COMO O INVESTIMENTO EMOCIONAL FUNCIONA NO MUNDO REAL

Para ilustrar como o investimento emocional afeta o comportamento, deixe-me ilustrar como você pode usá-lo para sua vantagem em certas situações, principalmente quando fizer compras caras. Vamos supor que você quer comprar um carro novo. Nesse caso, você primeiro encontra o carro que deseja e depois diz ao vendedor que irá comprá-lo hoje se conseguir o preço certo. Depois apanhe seu talão de cheques e escreva a data e o nome da concessionária. Explique para o vendedor que só falta escrever o valor no cheque e assinar. Esse cheque parcialmente preenchido envia a mensagem de que você está seriamente pensando em comprar o carro. Diga o preço que você quer e espere a reação do vendedor.

Numa certa ocasião em que tentei isso, negociei um carro por mais de oito horas! No fim do turno da vendedora, ela cedeu. Justificou dizendo que passou oito horas negociando comigo e, se não concluísse a venda, teria perdido seu tempo, um tempo que poderia ter gasto com outros clientes. O investimento emocional que ela colocou na negociação fez uma pressão psicológica para que aceitasse minha proposta ridiculamente baixa; de outra maneira, ela teria que encarar a perspectiva do fracasso.

DISSONÂNCIA COGNITIVA

Dissonância cognitiva ocorre quando um indivíduo possui duas ou mais ideias conflitantes ao mesmo tempo. As pessoas continuam com relações de internet, mesmo quando sabem que a relação deveria terminar, para evitar a dissonância cognitiva. Elas não querem acreditar que seu interlocutor não é aquilo que diz ser, pois isso cria dissonância cognitiva.

Pense em você mesmo como exemplo. Você enxerga a si mesmo como uma pessoa esclarecida e distinta. Também adora a pessoa que conheceu na internet e com quem se comunica. Se admitir que foi enganado, então você é ingênuo e crédulo; portanto, você se recusa a acreditar que seu interlocutor virtual é um impostor, para evitar a sensação ruim causada pela dissonância cognitiva.

Manti Te'o, o jogador de futebol americano do Notre Dame que foi vítima de um predador on-line, expressou o conflito causado pela dissonância cognitiva neste comentário sobre sua experiência:

"Falar sobre isso é incrivelmente constrangedor, mas por um grande período desenvolvi uma relação emotiva com uma mulher que conheci na internet. Nós mantivemos aquilo que eu achava que era uma relação autêntica, nos comunicando frequentemente pela internet e pelo telefone, e eu passei a gostar muito dela. Admitir que fui vítima da piada grotesca e das mentiras de alguém foi, e ainda é, doloroso e humilhante... Eu obviamente deveria ter tido mais cuidado. Se algo de bom pode sair disso é a esperança de que outros serão mais vigilantes do que eu fui quando conhecerem alguém pela internet".

EXPONDO MENTIROSOS

Para não cair nas armadilhas dos mentirosos, force o interlocutor a se mostrar no mundo real, onde você possa usar suas habilidades para detectar sinais verbais e não verbais, verificando se ele corresponde ao seu perfil on-line e se a relação parece tão boa "sob a luz do sol" como parece na tela do computador. Durante os estágios iniciais de uma relação on-line, você deve estar ciente que a falta de dicas não verbais o deixa em desvantagem. Pense em hipóteses contrárias para impedir que a relação se desenvolva rápido demais.

Sempre assuma que você é vítima de um mentiroso até que surjam evidências visuais que provem o contrário. Insista em encontros face a face o mais cedo possível. Esse encontro deve acontecer num local público e com muitas pessoas, para reduzir a possibilidade de qualquer perigo pessoal. Além disso, para deixar o encontro mais confortável para ambos, é recomendável que ele seja algo casual e de duração relativamente curta; um café na lanchonete ou um almoço são suficientes.

Se um encontro face a face não for algo prático, insista em algum tipo de comunicação visual, como Skype ou outro serviço semelhante. Um parceiro de internet que usa muitas desculpas para evitar um encontro face a face ou pelo Skype está enviando fortes sinais de que algo está errado. Nesse ponto, você deveria imediatamente terminar sua relação on-line. Do contrário, pode se ver em considerável perigo.

Exigir um encontro visual logo cedo numa relação é uma técnica simples, mas eficaz, para evitar cair numa armadilha. Encontros visuais permitem checar dicas não verbais que ajudam a avaliar a veracidade do seu parceiro. O contato visual também previne o desenvolvimento da idealização de uma pessoa desconhecida. Desenvolver hipóteses contrárias reduz o efeito do viés da verdade. A necessidade de revelar informações pessoais íntimas é reduzida em encontros face a face, prevenindo portanto que as relações se desenvolvam rápido demais. Diminuir a velocidade da relação reduz seu investimento emocional, minimizando assim o custo emocional de um possível rompimento.

Em relações genuínas, as pessoas gostam de se comunicar visualmente, principalmente no começo da relação. Elas se sentem mais confortáveis em relações visuais porque podem usar as habilidades sociais que possuem para avaliar os outros de um jeito mais eficaz. Encontros visuais expõem os mentirosos e anulam suas vantagens.

UMA NOVA GERAÇÃO: FIQUE LIGADO, SINTONIZADO, E TOME CUIDADO

É simplesmente impossível negar que o advento das comunicações virtuais alterou dramaticamente o cenário da busca de parceiros e da construção de relações. Enquanto as interações on-line continuarem a crescer em popularidade, seu impacto será ainda maior na maneira como relações serão formadas no futuro.

Ao se conscientizar dos perigos da internet já mencionados, e usando as técnicas que já recomendei para minimizá-los, é possível conquistar relações virtuais significativas. De fato, por razões listadas no começo deste capítulo, esse pode ser o método preferido para se conectar com pessoas no estágio *inicial* da construção da relação.

Usada com o devido cuidado e senso comum, a internet é mais uma ferramenta para encontrar e desenvolver relações curtas ou para a vida inteira. Por outro lado, usada sem o devido cuidado, sem se preocupar com as informações passadas e recebidas, essa ferramenta pode levar à frustração ou mesmo a potenciais desastres. Numa análise final, a maneira como *você* usa o universo digital irá determinar o valor que ele tem, bom ou mal, na qualidade da sua vida e das suas relações.

EPÍLOGO

A fórmula da amizade na prática

E, como todo espião sabe, alianças de guerra sempre começam com inimigos em comum.
— ALLY CARTER, *DON'T JUDGE A GIRL BY THE COVER*

Aqui vai uma última história de espionagem. Mas desta vez não envolve meu tempo no FBI; na verdade, a história tem mais de cem anos.[1] Tudo começou na virada do século XIX, quando um príncipe alemão teve um encontro romântico com uma mulher da realeza britânica. A natureza sexual do encontro não irritou o governo alemão; entretanto, eles ficaram extremamente irritados quando descobriram que o príncipe havia escrito cartas de amor para sua amante cheia de segredos de Estado. Os governantes então procuraram o "Dr. Graves", um talentoso espião alemão, e ordenaram que ele trouxesse as cartas de volta.

E assim ele fez. O Dr. Graves viajou para a Inglaterra para encontrar a mulher e recuperar as cartas de amor do príncipe. Nas próximas páginas você encontrará trechos de seu diário explicando como ele cumpriu a missão. Enquanto estiver lendo o material, tente identificar as estratégias especiais discutidas neste livro que o Dr. Graves utilizou com sucesso para recuperar as cartas.

> Eu me hospedei inicialmente no hotel Russel Square; pouco tempo depois me transferi para o luxuoso Langham. Comecei a fazer as primeiras investigações superficiais. Comprei todos os jornais da sociedade, os quais li de ponta a ponta, e depois cuidadosamente comecei a aprofundar os questionamentos que elucidariam o caso

---

[1] A.K. Graves, The Secrets of the German War Office (Nova York: McBride, Nast, 1914).

no qual milady era a figura central. De conhecidos que fiz no hotel, dos repórteres da sociedade nos jornais, comecei a juntar pequenos fragmentos de informação. Felizmente, era alta temporada em Londres e todos estavam chegando na cidade. Logo descobri quem eram os amigos íntimos de milady e onde se encontravam. O próximo passo era decifrar sua personalidade e conhecer um pouco seus hábitos, gostos e desgostos. Ouvi dizer que ela tinha o hábito de passear a cavalo no Hyde Park. Todos os dias passei a trilhar por duas horas o caminho de cascalho no parque. Minha paciência foi recompensada na quinta manhã, pois a vi galopando com um grupo de amigos.

Na manhã seguinte eu estava no caminho de cascalho na mesma hora. Finalmente, ela apareceu galopando junto com o mesmo grupo, e após terem quase saído de vista, comecei a galopar atrás deles. Descobri onde deixavam os cavalos, e, após terem desmontado, entrei no estábulo e fiz algumas perguntas. Descobri que eles sempre saíam na mesma hora. A partir de então, cultivei o hábito de cruzar com milady no caminho de cascalho dia após dia. Vanglorio-me de poucas coisas, mas minha habilidade com os cavalos é uma delas. Já cavalguei muitos cavalos selvagens na Austrália. Também aprendi um truque ou dois, entre meus amigos tuaregues, que exibi para milady em várias ocasiões. Eu não esperava ser apresentado, queria apenas atrair atenção e familiarizar o grupo dela com minha aparência, aplicando um dos pontos básicos da psicologia humana. Empreguei a teoria da atração subconsciente de um rosto visto muitas vezes, porém ainda desconhecido.

Logo constatei que milady e seus amigos seguiam todos os caprichos da sociedade londrina. Um em particular me interessou. Eles tinham o hábito de frequentar o Carlton Terrace entre três e quatro horas da tarde, onde comiam morangos. Eu também fui até lá para comer morangos.

O Carlton Terrace na temporada de morangos é um lugar animado cheio da nata da sociedade. Essa afluência de gente bonita e rica, marcada com seu ar de distinção cuidadosamente abandonada em favor do prazer, e um infinito murmúrio de gracejos e galhofas de mesa em mesa, é realmente um interessante estudo sobre o lado mais suave da vida. É um lugar com um magnífico terraço coberto de vidro de frente ao Tâmisa, com seus cenários em constante mudança onde navegam as balsas e os grandes rebocadores.

No Carlton Terrace se paga bem pelo requinte à mesa. Cortejando a garçonete, consegui um lugar muito cobiçado perto da mesa reservada à milady e seu grupo. Sempre tive o cuidado de adiar minha entrada até que milady já estivesse no terraço; então, entrava sozinho, tomava meu lugar e mostrava um desejo de permanecer desacompanhado. Eles possuem um jeito muito interessante de servir os morangos no Carlton. Um ramo com dez a doze suculentos morangos é trazido num pote de prata. É o cúmulo do luxo. Você apanha os morangos frescos do ramo em sua mesa, o Carlton fornece o creme, e você paga meio soberano – $ 2,50 – por um prato de morangos. Um prato é suficiente para a maioria dos clientes. Todas as tardes eu pedia cinco.

Dia após dia, gastava dois soberanos e meio – $ 12,50 – do dinheiro fornecido pelo duque de Mecklenburg-Schwerein, sempre passando meio soberano de gorjeta para a garçonete, totalizando três soberanos na minha conta diária com os morangos ($ 15). Por cerca de dez dias, fiz isso sempre no mesmo horário; sempre tendo o cuidado de entrar após a chegada de milady e seu grupo; sempre pedindo o mesmo número de porções, sempre dando a mesma gorjeta. Não demorou até eu começar a ser observado. Logo percebi que não apenas os clientes, mas também os donos do Terrace estavam se tornando interessados em minha excentricidade. Num dia, ouvi alguém dizer "Lá vem o fanático dos morangos".

Eu já estava satisfeito. Sabia que seria mais fácil agora entrar para o grupo de milady. Fui marcado como alguém fora do comum no restaurante que das três às quatro da tarde naquela época do ano era o mais famoso de Londres. Agora, uma mulher como milady não flerta. Mas se você olhar para ela sob condições favoráveis, como em minha "façanha" com os morangos, ela irá olhar de volta. Vocês dois sorriem discretamente e não voltam mais a olhar um para o outro pelo resto da tarde. Isso não é flerte. Digamos que é um interesse psicológico.

Continuei meu festival do morango, e num certo dia um gerente do Carlton Terrace me disse que as pessoas estavam perguntando sobre mim. Vários homens queriam saber quem eu era. Após perguntar, ele me disse que um desses homens fazia parte do grupo de milady. Foi fácil somar dois mais dois. Obviamente era ela quem queria saber.

Enquanto isso, eu havia enviado várias comunicações para o duque, insistindo que pressionasse seu sobrinho e que o mantivesse longe de Londres; nem ao menos permitindo, sob pena de bloquear seu dinheiro, que escrevesse para milady até que o duque desse sua permissão. Nesse ponto, Londres já estava cheia, e a temporada estava em seu auge. Frequentei os teatros, desde o Drury Lane até o Empire, e visitei os clubes. Encontrei homens que já eram meus conhecidos, além de dois ou três sujeitos de quem fui muito íntimo, em uma ou outra ocasião, em expedições de caça e locais de veraneio. Pedi que me apresentassem a diferentes grupos. Manobras habilidosas me garantiram convites para chás da tarde e refeições no mesmo grupo frequentado por milady.

Fui apresentado a ela numa recepção vespertina. Uma típica inglesa de classe. Não era particularmente bela, mas possuía toda a clareza de pele e olhos e uma saúde forte e enérgica, que é o traço hereditário das filhas de Albion. Alta, esbelta e forte, de hábitos e educação livres e independentes, ela era a direta antítese da habitual mulher germânica. Imagino que essa era a provável razão do encantamento do jovem duque.

"Como vai você, meu jovem garoto colonial? Ainda fanático por morangos?"

Nós dois caímos na risada.

"Então milady observou e classificou minha pequena obsessão?"

"É claro", ela disse, jogando os cabelos de lado.

Uma conversa prazerosa e fácil se seguiu. Eu podia cada vez mais entender o encantamento do duque; de fato, eu o considerei um "maldito sortudo".

Daquele dia em diante, fiz questão de estar presente sempre que ela comparecia a locais públicos, como teatros, concertos ou restaurantes. Gradual e imperceptivelmente, com pequenos serviços aqui e ali, acabei ganhando sua confiança. Houve um jantar pós-teatro no salão indiano do Windsor, e fui convidado. A essa altura, as pessoas já sabiam um pouco sobre mim. Eu era um viajante, um homem dos prazeres, interessado, como hobby, em pesquisas medicinais. Descobri que o caso dela com o jovem duque era um segredo aberto dentro de seu grupo; além disso, descobri que ela esperava diariamente que ele aparecesse em Londres. Gradualmente dei a entender que conhecia o jovem duque. Enquanto ganhava cada vez mais sua confiança, inventei casos amorosos para ele e os insinuei para ela. Dessa maneira, finalmente consegui induzi-la a falar. Sutilmente induzi um vago ressentimento contra ele, que foi acentuado por sua ausência em Londres – com Vossa Alteza impedida de viajar por seu tio, e este por sua vez aceitando meu conselho para que assim o fizesse.

Dois meses se passaram antes de eu ser convidado para a casa de milady em Mayfair, e nesse tempo, parcialmente porque fingi conhecer o jovem duque, eu já estava mais íntimo. Descobri que ela o conhecera numa expedição de caça na propriedade do conde de Crewes em Shropshire. Mais tarde, confessou-me que aquela ocasião fora seu primeiro encontro oficial, mas já se conheciam desde uma viagem para as montanhas na Suíça, o *playground* oficial da realeza quando viaja incógnita. Descobri também que seu vício em cartas já lhe custara muito dinheiro.

A informação da dívida de milady não foi fácil de conseguir. Para tal, tive que trabalhar com sua criada. Sempre que a ocasião surgia, fazia questão de lhe dar gorjetas generosas. Criei oportunidades para fazer várias pequenas coisas por ela. Sabendo que milady estaria fora, visitei a casa num certo dia e, fingindo que esperava a anfitriã, fiz algumas perguntas. Descobri que sua senhora tinha problemas financeiros. Essa era uma abertura que valia a pena explorar.

A partir de então, maquinei para estar presente sempre que havia um jogo de cartas na casa de milady. Essas mulheres da sociedade inglesa possuem o hábito de apostar alto, e logo percebi que milady perdia muito frequentemente. Foi sorte minha ela ter perdido para mim numa certa noite. Não é costume nesse tipo de encontro a troca de dinheiro; ao invés disso, o perdedor paga com aquilo que corresponde a uma "nota promissória". Aceitei sua nota junto a outras e levei todas para um conhecido agiota, com quem fiz um acordo. Ele deveria aceitar as notas e pressionar milady pelo pagamento, é claro, sem citar meu nome. Obviamente, já que eu tentava ganhar sua confiança, não poderia pessoalmente cobrar essas dívidas. O agiota cobrou-a no mesmo dia. E cobrou muitas outras vezes, perseguindo-a, ameaçando entrar com ações legais e insistindo até ela quase entrar em colapso nervoso. Simpatias prestadas na hora certa a fizeram falar, e ela desabafou sobre suas dívidas, relatando que a maioria de seus conhecidos também estava endividada – nada anormal naquele cenário.

Essa era uma chance oportuna para milady receber algum benefício material. Conversamos seriamente sobre seus casos amorosos. Descobri que eram muito complexos. Discutimos sobre o jovem duque. Eu gradualmente a persuadi de que não havia esperança para um casamento legítimo com a casa dos Mecklenburg-Schwerein, mas, por causa de sua associação com o jovem duque e o fato de que esteve prometida a ele, seria direito que o ducado lhe fornecesse algum meio de assistência. O gelo estava perigosamente fino, pois milady é uma pessoa de altos ideais e eu precisava ter cuidado em usar as palavras, para não insinuar que ela estivesse usando de chantagem. Justiça seja feita, acredito que, se ela tivesse tomado essa visão, teria desistido do assunto e se retirado da sociedade até o fim da temporada, ao invés de seguir com meu plano. Finalmente, eu disse: "Você possui algum meio com o qual possa compelir o ducado a reconhecê-la e aceitar seu pedido?".

Após uma longa hesitação, ela se ergueu de repente, apressou-se para fora da sala e retornou rapidamente com um punhado de cartas. Em algumas delas eu podia enxergar o brasão do duque. O jovem tolo fora realmente descuidado! Ela agarrou as cartas e chorou: "Imagino o que o tio de Franz diria sobre estas cartas? Como eu poderia convencê-lo a se casar comigo?".

Aí estava a chance. O metal – neste caso, as emoções dela – estava quente. Sugeri que sentássemos para conversar. Como um ataque introdutório, para criar a impressão de que sabia do que estava falando, insinuei que eu tinha conexão com uma família na Alemanha e estava em Londres incógnito. Abordei a situação do ponto de vista de que era seu amigo, e não um amigo da casa Mecklenburg-Schwerein, mas que, conhecendo-os e também aos seus hábitos, eu poderia ser de grande ajuda.

"É uma pena", eu a consolei, "mas você não possui chance alguma de uma aliança legítima, até mesmo morganática, com o jovem duque. Considero a atitude deles em relação a você muito injusta. Considerando seu acordo com ele, você certamente tem direito a uma compensação adequada da família. Se entrar na justiça, poderia obter isso alegando quebra de promessa, mas posso entender seus sentimentos. Um passo desses apenas criaria repulsa numa família tão antiga e nobre como a sua."

Ela pareceu concordar.

"Mas o que posso fazer?", ela disse.

"Considerando minha amizade com você, seria uma honra para mim se me permitisse agir em seu nome. Acho que posso negociar com o tio do jovem duque, e prometo que ele julgará o assunto com justiça. Eu entendo a extrema delicadeza da situação, e você deve entender a necessidade do intermédio de um homem nesse assunto."

Ela sacudiu a cabeça e bateu nas cartas com nervosismo.

"Não. Isso é intolerável", ela disse. "Não é uma opção."

Percebi que precisaria de um argumento mais forte. Então inventei a mentira mais engenhosa que já pensei. Em cerca de cinco minutos descrevi o jovem duque de tal maneira que as aventuras de Don Juan pareciam santas em comparação às escapadas da alteza ducal.

"Pense um pouco", eu disse. "Ele deveria estar aqui com você durante a alta temporada. Mas não apareceu. Você mesma me contou que ele nem ao menos respondeu a suas cartas. Bem, isso diz tudo, milady, ele e sua família merecem toda a punição que você puder infligir."

A ideia da punição agradou. O orgulho ferido de uma mulher, principalmente de mulheres inglesas, é uma coisa terrível. Logo depois disso, apressei-me para ir embora. Em meu hotel, escrevi duas cartas para mim mesmo e assinei com o nome do duque. Nessas cartas, ofereci para pagar as dívidas de milady. As cartas eram endereçadas a mim e, após deixar passar um tempo razoável, novamente fui até Mayfair e as li para milady. Ela agora estava fria e endurecida, e me deu permissão total para seguir em frente e fazer os arranjos que julgasse necessário. Então fui até o banco do duque em Londres e notifiquei que precisaria de 15 mil libras. Em quatro dias eu já tinha o dinheiro. O resto da transação correu sem problemas. Ela me entregou todas as cartas e documentos e eu lhe repassei as 15 mil libras. Hoje sei que milady viaja extensivamente de uma maneira muito confortável com a compensação anual paga pelo velho duque. Não sei se ela ainda frequenta o Carlton Terrace para comer morangos, mas me vanglorio de que sua atual boa fortuna se deve parcialmente ao fato de que ela frequentou o lugar no passado.

COMO O DR. GRAVES CUMPRIU SUA MISSÃO

Ao ler o diário do Dr. Graves, é realmente impressionante entender que esse homem estava um século à frente do seu tempo ao usar análise comportamental e técnicas psicológicas para alcançar seus objetivos. Se você reler a parte do Capítulo 1 que detalha como a Fórmula da Amizade foi usada para "seduzir" o Gaivota a trair seu país e se tornar espião para os Estados Unidos, vai se surpreender com os paralelos entre as estratégias empregadas pelo FBI e pelo Dr. Graves em seu trabalho. Considere:

1. Nos dois casos, o plano para recrutar os alvos foi cuidadosamente coreografado e executado num período extenso de tempo. Os dois agentes usaram as técnicas apresentadas neste livro para predispor seus alvos a gostarem previamente deles antes do primeiro encontro.
2. O Dr. Graves, assim como o agente Charles do FBI, usou a Fórmula da Amizade para estabelecer uma relação com a mulher britânica. Primeiro eles estabeleceram proximidade com os alvos, seguido de um aumento na frequência e duração, e gradualmente introduziram intensidade, iscas de curiosidade e dicas não verbais cada vez mais intensas.
3. Nos dois casos, o princípio da *proximidade* foi usado para estabelecer contato não ameaçador entre o agente e o alvo (Capítulo 1). No caso do Gaivota, o agente do FBI se esforçou para se colocar em lugares públicos onde o Gaivota caminhava e ficaria ciente de sua presença. No caso do Dr. Graves, ele fez a mesma coisa ao estabelecer proximidade com seu alvo na trilha de cavalos e ao se sentar numa mesa perto de onde ela rotineiramente sentava no restaurante.
4. Nos dois casos, os princípios da *frequência* e *duração* também foram utilizados. Com o Gaivota, o agente do FBI se posicionou em seu caminho de um jeito que aumentava o número de encontros (frequência) onde o diplomata estrangeiro o via, e acrescentou duração ao segui-lo para dentro do mercado, estendendo o tempo de contato entre os dois. Com a mulher britânica, o Dr. Graves aumentou a frequência de vezes que passava por ela na trilha do parque e dos encontros no restaurante. Ele até mencionou o poder da frequência quando escreveu "empreguei a teoria da atração subconsciente de um rosto visto muitas vezes, porém ainda desconhecido". Para conquistar a duração, ele estendeu o tempo de contato aparecendo perto da mulher em outros lugares públicos, como o teatro e concertos. Quando mais tempo você passar com as pessoas (duração), mais será capaz de influenciar o processo de decisão e os padrões de pensamento dela.

5. Nos dois casos, a *intensidade* foi alcançada através do uso de dicas não verbais e "iscas de curiosidade". A constante presença de um estranho perto do Gaivota e da mulher britânica aguçou a curiosidade deles. No caso do Dr. Graves, o "teatro do morango" serviu como isca. Que tipo de homem pede cinco porções de morangos de uma vez e entrega gorjetas tão generosas? Quem era essa pessoa? O que ele queria? A curiosidade motivou tanto o Gaivota quanto a mulher britânica para se esforçarem a descobrir quem eram Charles (o agente do FBI) e o Dr. Graves (o espião alemão) e o que queriam. Este comentou: "Mas se você olhar para ela sob condições favoráveis, como em minha 'façanha' com os morangos [intensidade aumentada], ela irá olhar de volta. Vocês dois sorriem discretamente e não voltam mais a olhar um para o outro pelo resto da tarde". Quando o Dr. Graves encontrou a mulher pela primeira vez, ela jogou os cabelos para o lado, um sinal de amizade que indicou que ele havia estabelecido um nível de conexão antes de trocarem qualquer palavra. Tanto Charles quanto Graves possuíam confiança nesses princípios psicológicos e deram tempo para que funcionasse. Eles não apressaram o desenvolvimento da relação. Em vez disso, deixaram que ela crescesse naturalmente com o tempo, assim como acontece com as relações "normais".

6. Nos dois casos, os espiões usaram sinais amistosos para se mostrarem amigáveis (Capítulo 1), prevenindo assim que seus alvos "ativassem os escudos" no primeiro encontro. O agente do FBI não abordou o Gaivota até ele se sentir confortável com sua presença. O Dr. Graves se sentou sozinho no restaurante e mostrou que não queria a companhia de ninguém, dando a ilusão de que não era uma ameaça. Ele também se certificou de ser notado ao entrar no restaurante quando a mulher britânica já havia chegado.

7. Nos dois casos, as informações sobre os alvos foram adquiridas com diferentes fontes. No caso do Gaivota, o agente recebeu informações dos analistas do FBI. No caso do Dr. Graves, ele leu jornais locais, falou com repórteres e, mais

tarde, com os cavalariços no estábulo para obter informações. Nos dois casos, informações vitais foram discretamente levantadas para descobrir as coisas que motivavam os alvos, para avaliar suas personalidades e descobrir coisas que pudessem ser usadas para estabelecer interesses em comum. O Dr. Graves usou técnicas de investigação indireta (Capítulo 6) para obter informações sensíveis sobre o alvo sem alertar as fontes de que estavam fornecendo essas informações.

8. O Dr. Graves frequentou o Carlton Terrace não apenas para ficar perto de seu alvo, mas também para estabelecer algo em comum ao pedir morangos todos os dias, assim como fazia seu alvo.

9. Ele tirou vantagem do princípio psicológico da atribuição equivocada (Capítulo 4) para predispor a mulher britânica a gostar dele. Cavalgar, assim como outros exercícios, libera endorfina, o que faz as pessoas se sentirem bem sobre si mesmas. Se não houver razão aparente para essa sensação boa, elas tendem a atribuir o bem-estar às pessoas próximas. De acordo com a Regra de Ouro da Amizade, se você quiser que alguém goste de você, faça com que essa pessoa se sinta bem consigo mesma. O Dr. Graves estava cultivando uma conexão antes mesmo de dizer uma única palavra a seu alvo.

10. No fim, ele fez parecer que foi a mulher quem teve a ideia de trocar as cartas pelo pagamento das dívidas. No caso do Gaivota, ele irrigou e fertilizou a semente da traição plantada pelo agente do FBI. Esse é o verdadeiro sinal de uma operação bem-sucedida.

As duas histórias de espionagem, separadas por um século, nos lembram que a natureza humana é uma constante, e que é possível fazer amigos se você estiver disposto a usar as ferramentas apresentadas neste livro para se tornar, automaticamente, uma pessoa com quem valha a pena estar.

APÊNDICE

Respostas para o teste "O que você vê?" (página 179)

Foto 1: O sinal inimigo mostrado na foto é a garota bocejando. Entretanto, ele pode não indicar que a garota está entediada com o rapaz. Será preciso usar declarações empáticas para descobrir a causa do bocejo.

Foto 2: Os três sinais amistosos mostrados na foto são (a) sorriso completo; (b) inclinação da cabeça; (c) olhar mútuo. Outra resposta apropriada: (d) postura do corpo aberta.

Foto 3: O sinal amistoso adicional não mostrado na foto 2 é a exibição das palmas da mão, tanto da garota quanto do rapaz.

Foto 4: A postura não sincronizada entre os dois indivíduos sinaliza uma conexão empobrecida.

Foto 5: A garota está se inclinando e sorrindo, indicando interesse; entretanto, o rapaz, com seus braços cruzados e inclinação para trás, sinaliza que não está interessado nela.

Foto 6: O rapaz, sorrindo e se inclinando para frente, indica interesse na garota, que parece não mostrar o mesmo interesse, devido à postura do corpo fechada (braços cruzados) e um olhar cético.

Foto 7: O sinal amistoso indicando boa conexão é o "alisamento" (arrumar o parceiro). Nesse caso, é a garota quem arruma o colarinho da camisa do rapaz.

Foto 8: O rapaz está interessado na garota (sorriso aberto, inclinação para frente e postura aberta). Infelizmente, com base na posição do torso da garota, o interesse provavelmente não é recíproco, embora nesse caso seja melhor observar um pouco mais do comportamento não verbal da garota antes de descartar um possível interesse.

Foto 9: A conexão entre os dois indivíduos é muito boa. Isso pode ser visto no (a) entusiasmo compartilhado; (b) posição do torso: inclinação para frente e postura aberta; (c) gestos expressivos (incluindo sinal de "joia"); (d) contato visual prolongado; e (e) sorrisos.

Foto 10: À primeira vista, parece que o rapaz está no comando porque está apontando o dedo. Entretanto, observe que ele está se inclinando para trás. (Apontar o dedo para alguém enquanto se inclina para trás não é comum; você não aponta o dedo e se inclina para trás se sentir que está no comando.) A garota está exibindo "mãos no quadril" (um sinal não verbal agressivo), numa tentativa de compensar a vantagem da altura do rapaz. Ela está com a cabeça inclinada, com a artéria carótida exposta, sinalizando que não tem medo dele. Diagnóstico: o rapaz está perdendo nessa interação, com base em sua inclinação para trás e na postura agressiva não verbal da garota, que indica ausência de medo.

AGRADECIMENTOS

Gostaria de agradecer a Dave e Lynda Mills, do estúdio fotográfico Dave Mills Photography, em Lancaster, Califórnia, por produzir as fotos deste livro. Tanto Dave quanto Lynda contribuíram graciosamente com suas habilidades fotográficas para fornecer representações precisas das técnicas apresentadas nestas páginas. Agradeço também a Andrew Cardone e a minha filha, Brooke Schafer, por oferecerem seu tempo e talento como modelos para as fotos deste livro. Mais obrigados a Jenny Chaney, L. Michael Wells, Daniel Potter, Cory Garza e Tony DeCicco por revisar o manuscrito e oferecer seus comentários e sugestões. Também gostaria de agradecer a Randy Marcoz, com quem trabalhei por muitos anos ensinando e desenvolvendo novas ideias para melhorar as habilidades de comunicação das pessoas. Um agradecimento especial vai para Mike Dilley, escritor e historiador, com quem trabalhei por muitos anos desenvolvendo e aperfeiçoando as muitas técnicas apresentadas neste livro. Ele também revisou e editou o manuscrito, fornecendo conselhos inestimáveis para a versão final. Por último, quero agradecer os esforços de meus professores de inglês em minha carreira acadêmica, que tiveram a coragem de identificar as fraquezas em minha escrita e a paciência de ajudar a fortalecer minhas habilidades de escritor.

Jack Schafer

Fui abençoado com pessoas maravilhosas que me deram coragem, inspiração e visão quando eu mais precisava. Gostaria de reconhecê-los aqui – em ordem alfabética – e agradecer a cada um por adicionar sentido e alegria à minha vida. Se deixei alguém de fora inadvertidamente, minhas sinceras desculpas.

Lewis Andrews, Alan e Susan Balfour, Loretta Barrett, Ann e Steve Batchelor, Lyle Berman, Carole Bloch, Stephanie Boyer, Avery Cardoza, C. T. Chan, Grace Chock, Cynthia Cohen, Don Delitz, Alex DeSilva, Maurice DeVaz, Jim Doyle, Julio e Carmen Enriquez, Burt, Barbara e Daniel Friedman, Sally Fuller, Jean Golden, John Gollehon, Jan Gordon, David e Odean Hargis, Steve Harris, Phil Hellmuth, Paulette e Kevin Herbert, Tom Johnson, Grace Jones, Sandra Karlins, Miriam e Arnold Karlins, Robert Kindya, Jerry Koehler, Albert Koh, Freddie Koh, Ray Kuik, Jim Levine, Len McCully, Rob Mercado, Debra Miceli, Chad Michaels, Peter Miller, Joe Navarro, Jacqueline O'Steen, Fran Regin, Maryanne Rouse, John Russell, Wallace Russell, Harry, Jeannie, Libby e Molly Schroder, Steven Schussler, Mike Shackleford, Stan Sludikoff, Joan e Eric Steadman, Gary Walters, Annette, Jill e Michelle Weinberg, Robert Welker, Tom Wheelen, Ken VanVoorhis e Anthony Vitale.

Finalmente, Jack e eu gostaríamos de fazer um agradecimento especial a Matthew Benjamin – nosso extraordinário editor – e a todas as outras pessoas maravilhosas da editora Simon & Schuster, que contribuíram imensamente para transformar este manuscrito em tudo aquilo que ele poderia ser.

Marvin Karlins

REFERÊNCIAS BIBLIOGRÁFICAS

Ajzen, I. (1977). Information processing approaches to interpersonal attraction. In S. W. Duck (ed.). *Theo y and practice in interpersonal attraction* (pp. 51–77). San Diego: Academic Press.

Antheunis, M. L.; V alkenburg, P. M.; Peter, J. (2007). Computer-mediated communication and interpersonal attraction: An experimental test of two explanatory hypotheses. *Cyberpsychology and Behavior, 10*, 831–835.

Aristotle (1999). *Rhetoric*. In *Library of the Future*, 4 ed. [CDROM]. Irvine: World Library.

Aronson, E. (1969). The theory of cognitive dissonance: A current perspective. In L. Berkowitz (ed.). *Advances in experimental psychology*, vol. 4. New York: Academic Press.

Asch, S. E. (1946). Forming impressions of personality. *Journal of Abnormal and Social Psychology, 41*, 303–314.

Aubuchon, N. (1997). *The anatomy of persuasion*. New York: American Management Association.

Balderston, N. L.; Schultz, D. H.; Helmstetter, F. J. (2013). The effect of threat on novelty-evoked amygdala response. *PloS O NE, 8*, 1–10.

Ballenson, J. N.; Blascovich, J.; Beall, A. C.; Loomis, J. M. (2001). Equilibrium theory revisited: Mutual gaze and personal space in virtual environments. *Presence, 10*, 583–598.

Barrick, J. et al. (2012). Candidate characteristics driving initial impressions during rapport building: Implications for employment interview validity. *Journal of Occupational and Organizational Psychology, 85*, 330–352.

Brady, E.; George, R. (2013). Manti Te'o's "Catfish" story is a common one. *U SA Today*, January 18.

Branham, M. (2005). How and why do fireflies light up? *Scientific American*, September 5.

Buffa di, L.; Campbell, W. K. (2008). Narcissism and social networking web sites. *Personality and Social Psychology Bulletin, 34*, 1303–1314.

Byrne, D. (1969). *Attitudes and attraction*. In L. Berkowitz (ed.). *Advances in Experimental Psychology*, vol. 4. New York: Academic Press.

Carlzon, J. (1989). *Moments of truth*. New York: Harper Business.

Carnegie, D. (2011). *How to win friends and influence people*. New York: Simon & Schuster.

Carter, R. (1998). *Mapping the mind*. Berkeley: University of California Press.

Chaplin, W. F. et al. (2000). Handshaking, gender personality and first impressions. *Journal of Personality and Social Psychology, 79*, 110–117.

Chen, F. F.; Kenrick, D. T. (2002). Repulsion or attraction? Group membership and assumed attitude similarity. *Journal of Personality and Social Psychology, 83*, 111–125.

Cialdini, R. B. (1993). *Influence: The psychology of persuasion*. New York: William Morrow.

Clark, M. S.; Mills, J. R.; Corcoran, D. M. (1989). Keeping track of needs and inputs of friends and strangers. *Personality and Social Psychology Bulletin, 15*, 533–542.

Clore, G.; Wiggens, N. H.; Itkin, S. (1975). Gain and loss in attraction: Attributions from nonverbal behavior. *Journal of Personality and Social Psychology, 31*, 706–712.

Collins, N. L.; Miller, L. C. (1994). Self-disclosure and liking: A meta-analytic review. *Psychological Bulletin, 116*, 457–475.

Craig, E.; Wright, K. B. (2012). Computer-mediated relational development and maintenance on Facebook. *Communication Research Reports, 29* (2), 118–129.

Curtis, R. C.; Miller, K. (1986). Believing another likes or dislikes you: Behavior making the beliefs come true. *Journal of Personality and Social Psychology, 51*, 284–290.

Dalto, C. A.; Ajzen, I.; Kaplan, K. J. (1979). Self-disclosure and attraction: Effects of intimacy and desirability of beliefs and attitudes. *Journal of Research in Personality, 13*, 127–138.

Davis, J. D.; Sloan, M. L. (1974). The basis of interviewee matching and interviewer self-disclosure. *British Journal of Social and Clinical Psychology, 13*, 359–367.

DePaulo, B. M. (1992). Nonverbal behavior and self-presentation. *Psychological Bulletin, 111,* 203–243.

DeMaris, A. (2009). Distal and proximal influences of the risk of extramarital sex: A prospective study of longer duration marriages. *Journal of Sex Research, 44,* 597–607.

Dimitrius, J.; Mazzarella, M. (1999). *Reading people: How to understand people and predict their behavior — anytime, anyplace.* New York: Ballantine.

Egan, G. (1975). *The skilled helpe* . Monterey: Brooks/Cole.

Ekman, P.; Friesen, W.V .; Ancoli, S. (1980). Facial signs of emotional experience. *Journal of Personality and Social Psychology, 39,* 1125–1134.

Festinger, L. (1957). *A theory of cognitive dissonance.* Oxford: Peterson Row.

Finkelstein, S. (2013). Building trust in less than 10 minutes. *Huffington ost,* July 18.

Frank, M. G.; Ekman, P.; Friesen, W. V . (1993). Behavioral markers and recognizability of the smile of enjoyment. *Journal of Personality and Social Psychology, 64,* 83–93.

Franklin, B. (1916). *The autobiography of Benjamin Franklin.* New York: G. P. Putnam's Sons.

Gagne, F.; Khan, A.; Lydon, J.; To, M. (2008). When flatte y gets you nowhere: Discounting positive feedback as a relationship maintenance strategy. *Canadian Journal of Behavioral Science, 40,* 59–68.

Givens, D. G. (2014). *The nonverbal dictionary of gestures, signs and body language cues.* Spokane, WA: Center for Nonverbal Studies. Disponível em: <http://www.center-for -nonverbal-studies.org/6101.html>.

Gold, J. A.; Ryckman, R. M.; Mosley, N. R. (1984). Romantic mood induction and attraction to a dissimilar other: Is love blind? *Personality and Social Psychology Bulletin, 10,* 358–368.

Grammar, K, J.; Schmitt, A.; Massano, A. H. (1999). Fuzziness of nonverbal courtship communication unblurred by motion energy detection. *Journal of Personality and Social Psychology, 77,* 487–508.

Grant, M. K.; Fabrigar, L. R.; Lim, H. (2010). Exploring the efficac of compliments as a tactic for securing compliance. *Basic and Applied Social Psychology, 32,* 226–233.

Greville, H. (1886). *Cleopatra.* Boston: Ticknor.

Griffeth, R. W.; Vecchiok, R. P.; Logan, J. W. (1989). Equity theory and interpersonal attraction. *Journal of Applied Psychology, 74,* 394–401.

Gueguen, N. (2008). The effect of a woman's smile on men's courtship behavior. *Social Behavior and Personality, 36,* 1233–1236.

_____. (2010). The effect of a woman's incidental tactile contact on men's later behavior. *Social Behavior and Personality, 38*, 257–266.

_____. (2010). Men's sense of humor and women's responses to courtship solicitations: An experimental field stud. *Psychological Reports, 107*, 145–156.

_____; Boulbry, G.; Selmi, S. (2009). "Love is in the air": Congruency between background music and goods in a flower shop. *International Review of Retail, Distribution and Consumer Research, 19*, 75–79.

_____; Delfosse, C. (2012). She wore something in her hair: The effect of ornamentation on tipping, *Journal of Hospitality Marketing and Management, 12*, 414–420.

_____; Martin, A.; Meineri, S. (2011). Similarity and social interaction: When similarity fosters implicit behavior toward a stranger. *Journal of Social Psychology, 15*, 671–673.

_____; Martin, A.; Meineri, S. (2011). Mimicry and helping behavior: An evaluation of mimicry on explicit helping request. *Journal of Social Psychology, 15*, 1–4.

_____; Morineau, T. (2010). What is in a name? An effect of similarity in computer-mediated communication. *Journal of Applied Psychology, 6*, 1–4.

Gunnery, S. D.; Hall, J. A. (2014). The Duchenne smile and persuasion. *Journal of Nonverbal Behavior, 38*, 181–194.

Guo, S.; Ahang, G.; Ahai, R. (2010). A potential way of enquiry into human curiosity. *British Journal of Educational Technology, 41*, 48–52.

Hall, E. T. (1966). *The hidden dimension* Garden City: Doubleday.

Hancock, J.; Toma, C. (2009). Putting your best face forward: The accuracy of online dating photographs. *Journal of Communication 59*, 367–386.

Harnish, R. J.; Bridges, K. R.; Rottschaefer, K. M. (2014). Development and psychometric evaluation of the sexual intent scale. *Journal of Sex Research, 5*, 667–680.

Hazan, C. D.; Diamond, L. M. (2000). The place of attachment in human mating. *Review of General Psychology, 4*, 186–204.

Hill, C.; Memon, A.; McGeorge, P. (2008). The role of confirmation bias in suspect interviews: A systematic evaluation. *Legal and Criminological Psychology, 13*, 357–371.

Hunt, G. L.; Price, J. B. (2002). Building rapport with the client. *Internal Auditor, 59*, 20–21.

Kaitz, M. et al. (2004). Adult attachment style and interpersonal distance. *Attachment and Human Development, 6*, 285–304.

Kassin, S. M.; Goldstein, C. C.; Savitsky, K. (2003). Behavior confirmation in the interrogation room: On the dangers of presuming guilt. *Law and Human Behavior, 27*, 187–203.

Kleinke, C. L. (1986). Gaze and eye contact: A research review. *Psychological Review, 100,* 78–100.

Kleinke, C. L.; Kahn, M. L. (1980). Perceptions of self-disclosures: Effects of sex and physical attractiveness. *Journal of Personality, 48,* 190–205.

Kellerman, J.; Lewis, J.; Laird, J. D. (1989). Looking and loving: The effects of mutual gaze on feelings of romantic love. *Journal of Research in Personality, 23,* 145–161.

Kenrick, D. T.; Cialdini, R. B. (1977). Romantic attraction: Misattribution versus reinforcement explanations. *Journal of Personality and Social Psychology, 35,* 381–391.

Knapp, M. L.; Hall, J. A. (1997). *Nonverbal communication in human interaction* (4 ed.). New York: Harcourt Brace College.

Krumhuber, E.; Manstead, A. S. R. (2009). Are you joking? The moderating role of smiles in perception of verbal statements. *Cognition and Emotion, 23,* 1504–1515.

Lee, L. et al. (2008). If I'm not hot, are you hot or not? *Psychological Science, 10,* 669–677.

Lewis, D. (1995). *The secret language of success: Using body language to get what you want.* New York: Galahad Books.

Lynn, M.; McCall, M. (2000). Gratitude and gratuity: A meta-analysis of research on the service-tipping relationship. *Journal of Socio-Economics, 29,* 203–214.

Macrea, C. N. et al. (2002). Are you looking at me? Eye gaze and person perception. *Psychological Science, 13,* 460–464.

Mai, X. et al. (2011). Eyes are windows to the Chinese soul: From the detection of real and fake smiles. *PLoS ONE, 5,* 1–6.

Mantovani, F. (2001). Networked seduction: A test-bed for the study of strategic communication on the Internet. *Cyberpsychology and Behavior, 4,* 147–154.

Martin, A.; Gueguen, N. (2013). The influence of incidental similarity on self-revelation in response to an intimate survey. *Social Behavior and Personality, 41,* 353–356.

Mehu, M.; Dunbar, R. I. M. (2008). Naturalistic observations of smiling and laughter in human group interactions. *Behavior, 145,* 1747–1780.

Mittone, L.; Savadori, L. (2009). The sca city bias. *Applied Psychology, 58,* 453–468.

Moore, M. (2010). Human nonverbal courtship behavior: A brief historical review. *Journal of Sex Research, 47,* 171–180.

Nadler, J. (2004). Rapport in negotiations and conflict resolution. *Marquette Law Review, 5,* 885–882.

Nahari, G.; Ben-Shakhar, G. (2013). Primacy effect in credibility judgments: The vulnerability of verbal cues to biased interpretations. *Applied Cognitive Psychology, 27,* 247–255.

Navarro, J.; Karlins, M. (2007). *What every body is saying: An FBI special agent's guide to speed-reading people.* New York: HarperCollins.

Nelson, H.; Geher, G. (2007). Mutual grooming in human dyadic relationships: An ethological perspective. *Current Psychology, 26,* 121–140.

Nelson, S. (2014). Woman checks [boyfriend's] phone, finds footage of him having sex with her Staffo dshire bull terrier dog. *Huffington ost UK,* February 14.

Olff, M. (2012). Bonding after trauma: On the role of support and the oxytocin system on traumatic stress. *European Journal of Psychotraumatology, 3,* 1–11.

Opt, S. K.; Loffedo, D. A. (2003). Communicator image and Myers-Briggs type indicator extroversion-introversion. *Journal of Psychology, 137,* 560–568.

Patterson, C. H. (1985). *Empathic understanding: The therapeutic relationship.* Monterey: Brooks/Cole.

Patterson, J. et al. (2012). Nonverbal indicators of negative affect in couple interaction. *Contemporary Family Therapy, 34,* 11–28.

Pease, A. (1984). *Signals: How to use body language for power, success, and love.* New York: Bantam Books.

Radford, M. (1998). Approach or avoidance? The role of nonverbal communication in the academic library user. *Library Trends, 46,* 1–12.

Rogers, C. R. (1961). *On becoming a person.* Boston: Houghton Miffli

Smeaton, G.; Byrne, D. M.; Murnen, S. K. (1989). The repulsion hypothesis revisited: Similarity irrelevance or dissimilarity bias. *Journal of Personality and Social Psychology, 56,* 54–59.

Stefan, J.; Gueguen, N. (2014). Effect of hair ornamentation on helping. *Psychological Reports: Relationships and Communication, 114,* 491–495.

Stewart, J, E. (1980). Defendant's attractiveness as a factor in the outcome of criminal trials: An observational study. *Journal of Applied Social Psychology, 10,* 348–361.

Swann, M. (2013). The professor, the bikini model and the suitcase full of trouble. *New York Times,* March 8.

Toma, C. L.; Hancock, J. T.; Ellison, N. B. (2008). Separating fact from fiction: An examination of deceptive self-presentation in online dating profiles. *Personality & Social Psychology Bulletin, 34*, 1023–36. The conference paper was later published as a journal article.

Vanderhallen, M.; Vervaeke, G.; Holmberg, U. (2011). Witness and suspect perceptions of working alliance and interviewing style. *Journal of Investigative Psychology and Offender rofiling, 8* 110–130.

Videbeck, S. (2005). The economics and etiquette of tipping. *Policy, 20,* 38–41.

Vonk, R. (2002). Self-serving interpretations of flatte y: Why ingratiation works. *Journal of Personality and Social Psychology, 82,* 515–526.

Wang, C. C.; Chang, Y. T. (2010). Cyber relationship motives: Scale development and validation. *Social Behavior and Personality, 38,* 289–300.

Wainwright, G. R. (1993). *Body language.* Teach Yourself Books. London: Hodder & Stoughton.

Whitty, M. T., & Buchanan, T. (2012). The online romance scam: A serious cybercrime. *Cyberpsychology, Behavior and Social Networking, 15,* 181–183.

Zunin, L.; Zunin, N. (1972). *Contact: The first four minutes.* New York: Ballantine Books.